Ce qu'elles ont dit
à propos de ce livre

« *En tant que "Mommies", nous savons que le plus beau cadeau que vous puissiez recevoir, c'est de savoir que vous n'êtes pas seules.* Bouillon de poulet pour l'âme d'une mère *sert exactement à cela; ses histoires vous toucheront au plus profond de votre être et vous rappelleront le sens véritable de la maternité et le respect qui lui est dû.* »

Marilyn Kentz et **Caryl Kristensen**, « The Mommies »

« *Ce livre émouvant et réconfortant fait rire et pleurer et nous donne l'occasion de célébrer collectivement notre condition de femmes.* »

Kim Alexis, mannequin/porte-parole

« *Merci,* Bouillon de poulet pour l'âme d'une mère. *Merci pour ces histoires qui font ressortir la beauté exquise de l'amour entre une mère et son enfant. Elles nous rappellent ce qui importe vraiment dans la vie.* »

Susan N. Hickenlooper de *American Mother's Inc.*

« *Les grands-mères aussi trouveront dans* Bouillon de poulet pour l'âme d'une mère *une véritable célébration de ce qu'elles sont. Voilà une source d'inspiration pour toutes les femmes qui sont mères ou qui ont eu une mère.* »

Dr. Lillian Carson, auteure

« Bouillon de poulet pour l'âme d'une mère *illustre à merveille la force la plus puissante et la plus précieuse de ce monde: l'amour entre une mère et ses enfants. Ces histoires empreintes de tendresse réjouissent le cœur et réchauffent l'âme comme seule une mère sait le faire.* »

Karan Ihrer, monitrice en périnatalité

Bouillon de Poulet pour l'âme d'une Mère

SÉRIE
« BOUILLON DE POULET POUR L'ÂME »

PUBLICATIONS RÉCENTES

Un 1er bol de Bouillon de poulet pour l'âme
Un 2e bol de Bouillon de poulet pour l'âme
Un 3e bol de Bouillon de poulet pour l'âme
Bouillon de poulet pour l'âme de la femme
Un concentré de Bouillon de poulet pour l'âme
Bouillon de poulet pour l'âme des ados
Bouillon de poulet pour l'âme d'une mère

PROCHAINES PARUTIONS

Un 4e bol de Bouillon de poulet pour l'âme
Bouillon de poulet pour l'âme des chrétiens
Bouillon de poulet pour l'âme des amoureux des animaux

PROJETS

Bouillon de poulet pour l'âme des amoureux
Un 5e bol de Bouillon de poulet pour l'âme
Bouillon de poulet pour l'âme des enfants
Bouillon de poulet pour l'âme des travailleurs
Bouillon de poulet pour l'âme du malade
Bouillon de poulet pour l'âme en recouvrance
Bouillon de poulet pour l'âme en deuil

Jack Canfield
Mark Victor Hansen
Jennifer Read Hawthorne
Marci Shimoff

Bouillon
de *Poulet*
pour l'âme
d'une *Mère*

Des histoires
qui réchauffent le cœur et
remontent le moral des mères

Traduit par Annie Desbiens
et Miville Boudreault

SCIENCES ET *CULTURE*
Montréal, Canada

L'édition originale de cet ouvrage a été publiée sous le titre
CHICKEN SOUP FOR THE MOTHER'S SOUL
101 Stories to Open the Hearts and
Rekindle the Spirits of Mothers
© 1997 Jack Canfield, Mark Victor Hansen
Jennifer Read Hawthorne et Marci Shimoff
Health Communications, Inc.
Deerfield Beach, Floride (É.-U.)
ISBN 1-55874-460-6

Réalisation de la couverture: ZAPP

Tous droits réservés pour l'édition française
© 1998, *Éditions Sciences et Culture Inc.*

Dépôt légal: 4e trimestre 1998
Bibliothèque nationale du Québec
Bibliothèque nationale du Canada

ISBN 2-89092-232-4

Éditions Sciences et Culture
5090, rue de Bellechasse
Montréal (Québec) Canada H1T 2A2
(514) 253-0403 Fax: (514) 256-5078
Internet: http://www.sciences-culture.qc.ca
E-mail: admin@sciences-culture.qc.ca

Nous reconnaissons l'aide financière du gouvernement du Canada
par l'entremise du Programme d'Aide au Développement de l'In-
dustrie de l'Édition pour nos activités d'édition.

IMPRIMÉ AU CANADA

Hommage aux mères

Ta bienveillance a exercé une influence incommensurable sur tout ce que j'ai accompli, tout ce que j'accomplis et tout ce que j'accomplirai.

Ton âme pleine de douceur a laissé une marque indélébile sur tout ce que j'ai été, tout ce que je suis et tout ce que je serai.

Par conséquent, tu fais partie de tout ce que j'accomplis et de tout ce que je suis.

Quand je prête secours à mon prochain, c'est un peu toi qui lui tends la main.

Quand je réconforte une amie, c'est un peu à toi qu'elle est redevable.

Quand je montre à un enfant une meilleure façon de faire, que ce soit par mes paroles ou mon exemple, c'est un peu toi qui lui enseignes.

Tous les gestes que je pose sont teintés des valeurs que tu m'as inculquées;

Par conséquent, les erreurs que je répare, les cœurs que je réconforte, les cadeaux que je partage et les fardeaux que j'allège te rendent un modeste hommage.

Tu m'as donné la vie et, plus important encore, tu m'as enseigné à vivre;

Par conséquent, tu es la source d'où jaillit tout le bien que je peux apporter en ce monde.

Pour tout ce que tu es et tout ce que je suis, merci, maman.

David L. Weatherford

Les citations

Pour chacune des citations contenues dans cet ouvrage, nous avons fait une traduction libre de l'anglais au français. Nous pensons avoir réussi à rendre le plus précisément possible l'idée d'origine de chacun des auteurs cités.

Nous dédions affectueusement ce livre à nos mères,
Ellen Taylor, Una Hansen, Maureen Read et
Louise Shimoff, dont l'amour et les conseils ont été
les pierres angulaires de nos vies.

Nous aimerions également dédier ce livre
à toutes les mères du monde qui,
grâce à leurs tendres soins et à leur affection,
nous ont tous nourris, réconfortés et émus.

Table des matières

Remerciements

Il a fallu plus d'une année pour écrire, compiler et préparer ce *Bouillon de poulet pour l'âme d'une mère*; nous y avons mis tout notre amour. Nous sommes tout particulièrement heureux d'avoir travaillé avec des gens qui ont donné non seulement leur temps et leur énergie, mais aussi leur cœur et leur âme. Aussi tenons-nous à remercier les personnes suivantes pour leur dévouement et leur contribution; sans elles, ce livre n'aurait pu voir le jour.

Nos familles qui, tout au long de ce projet, nous ont soutenus et entourés d'affection. Elles ont été un bouillon de poulet pour *nos* âmes.

Georgia Noble, pour son affection et sa gentillesse, et pour avoir été un merveilleux exemple de ce qu'est une mère.

Christopher Noble Canfield, qui a partagé avec nous son innocence, ses dessins, ses chansons, ses mimiques, ses formidables câlins et son irrésistible amour de la vie.

Patty Hansen, qui a été la plus formidable épouse et associée qu'on puisse imaginer, en plus d'être une mère extraordinaire.

Elisabeth Day Hansen, pour sa sagesse, son amour, sa joie, son goût de vivre et d'apprendre.

Melanie Dawn Hansen, pour son dynamisme et sa disponibilité de tous les instants, son humeur rayonnante, son entrain irrésistible et sa joie de vivre.

Dan Hawthorne, dont l'engagement envers la vérité nous a inspirés et encouragés à poursuivre notre objectif.

Merci pour ton sens de l'humour et pour nous avoir rappelé ce qui est le plus important dans la vie.

Amy et William Hawthorne, qui sont de «bons enfants» d'une infinie patience.

Maureen H. Read, qui est l'incarnation même de l'amour inconditionnel des mères.

Louise et Marcus Shimoff, pour leur soutien constant et leur affection. Ils sont deux des plus formidables parents sur terre.

Jeanette Lisefski, qui est un modèle de mère. Elle est non seulement une épouse extraordinaire et une mère fabuleuse pour ses trois enfants, mais aussi un appui inestimable. Son dévouement, sa persévérance, sa créativité et son affection ont été une bénédiction pour nous et pour ce projet. Nous te remercions de ta présence; nous n'aurions rien pu faire sans toi.

Elinor Hall, qui nous a beaucoup aidés à lire et à chercher des histoires pour ce *Bouillon de poulet pour l'âme d'une mère*. Nous avons grandement apprécié ton soutien, ton affection et ton amitié.

Carol Kline, pour sa merveilleuse collaboration dans la recherche, l'écriture et la révision des histoires. Nous te sommes reconnaissants pour la touche d'excellence que tu as su apporter à ce projet, ainsi que pour ton amitié et ta loyauté.

Amsheva Miller, pour sa clarté, ses commentaires précieux et son appui bienveillant. Nous te remercions de ton aide.

Peter Vegso et Gary Seidler, de Health Communications Inc., qui ont cru dès le départ à la série *Bouillon de poulet* et qui ont permis à des millions de personnes de la lire. Merci, Peter et Gary!

Patty Aubery, qui a toujours été là pour nous guider et nous conseiller sur une foule de sujets, que ce soit dans l'écriture des histoires ou le fonctionnement des ordinateurs. Merci d'avoir veillé à la bonne marche du quartier général toujours bourdonnant d'activités des *Bouillon de poulet pour l'âme*. Merci, Patty, du plus profond de notre cœur.

Nancy Mitchell, pour ses commentaires inestimables et son travail remarquable dans la recherche des autorisations de publication pour les histoires, les poèmes et les caricatures, en particulier celles qui sont difficiles à obtenir. Merci, Nancy, pour ta présence.

Heather McNamara, rédactrice principale de la série *Bouillon de poulet pour l'âme*, qui a coordonné les évaluations des comités de lecture, effectué des recherches sur Internet et fait un travail impeccable, éclairé et magistral sur le manuscrit final. Tu es une vraie pro; c'est un plaisir de travailler en ta compagnie!

Kimberly Kirberger, directrice-rédactrice en chef de la série *Bouillon de poulet pour l'âme*, qui nous a fait de précieux commentaires, nous a soumis des histoires et des caricatures, et s'est occupée de diverses tâches pour nous aider à nous concentrer sur ce livre. Nous te remercions également pour ton soutien.

Veronica Romero et Leslie Forbes, qui ont veillé à ce que le bureau de Jack fonctionne normalement pendant la production de ce livre.

Rosalie Miller, qui s'est chargée des communications tout au long de ce projet. Ton sourire et tes encouragements ont égayé nos cœurs.

Teresa Esparza, qui a brillamment coordonné les voyages de Jack ainsi que ses apparitions à la radio et à la télévision.

Christine Belleris, Matthew Diener et Allison Janse, nos rédacteurs de chez Health Communications Inc., qui ont généreusement contribué à faire de ce livre un ouvrage de grande qualité.

Randee Goldsmith, la directrice de la série *Bouillon de poulet pour l'âme* chez Health Communications Inc., qui a accompli un superbe travail de coordination et de soutien pour tous les *Bouillon de poulet*.

Terry Burke, Kelly Johnson Maragni, Karen Baliff Ornstein, Kim Weiss et Ronni O'Brien, de Health Communications Inc., qui n'ont ménagé aucun effort en ce qui concerne la publicité et le marketing.

Andrea Perrine Brower, de Health Communications Inc., qui a travaillé avec tant de patience et de coopération sur la couverture de ce livre.

Arielle Ford, Peg Clark, Laura Booth et tous les autres chez The Ford Group, pour leur fantastique travail en ce qui a trait aux relations publiques et à l'organisation de séances de signature et d'interviews à la radio, à la télévision et dans les médias écrits partout aux États-Unis.

Sharon Linnéa et Eileen Lawrence, pour leur merveilleux travail de rédaction. Vous avez su saisir l'essence même de *Bouillon de poulet*.

Nous tenons également à remercier les personnes suivantes, pour avoir effectué le travail colossal qui consistait à lire les manuscrits préliminaires, pour nous avoir aidés à faire la sélection finale et pour nous avoir livré leurs commentaires précieux en vue d'améliorer ce livre: Patty Aubery, Diana Chapman, Linda DeGraaff, Teresa Esparza, Leslie Forbes, Kelly Foreman, Mary Gagnon, Randee Goldsmith, Elinor Hall, Ciel Halperin, Jean Hammond, Melba Hawthorne, Kimberly Kirberger,

Carol Kline, Robin Kotok, Nancy Leahy, Laverne Lingler, Jeanette Lisefski, Barbara McLoughlin, Heather McNamara, Barbara McQuaid, Rosalie Miller, Nancy Mitchell, Holly Moore, Sue Penberthy, Maureen H. Read, Wendy Read, Carol Richter, Loren Rose, Heather Sanders, Marcus et Louise Shimoff, Karen Spilchuk et Carolyn Strickland.

Diana Chapman, Patricia Lorenz et Jean Brody, pour leur soutien enthousiaste à l'endroit de ce projet.

Joanne Cox, pour son travail remarquable de dactylographie et de préparation des manuscrits originaux. Merci pour ton souci du détail et ta loyauté envers ce projet.

Fairfield Printing (Iowa), et plus particulièrement Stephanie Harward, pour leur appui dynamique et pour avoir accepté d'accorder en tout temps la priorité à ce *Bouillon de poulet pour l'âme d'une mère*.

Felicity et George Foster, pour leur contribution artistique et leurs idées précieuses au sujet de la couverture du livre.

Jerry Teplitz, pour son approche innovatrice dans l'évaluation des manuscrits et la couverture du livre.

Clay Aloysius White, qui a nourri nos corps et nos âmes de sa cuisine exquise pendant les dernières semaines du projet.

Terry Johnson, Bill Levacy et Blaine Watson pour leurs conseils astucieux sur certains aspects de notre projet.

M., pour sa sagesse et son savoir.

Les personnes suivantes, qui nous ont soutenus et encouragés tout au long du projet: Ron Hall, Rusty

Hoffman, Belinda Hoole, Pamela Kaye, Robert Kenyon, Sue Penberthy et Lynn Robertson.

Merci également aux centaines de personnes qui nous ont soumis des histoires, des poèmes et des citations pour publication dans ce livre. Même s'il nous a été impossible d'utiliser tout le matériel que nous avons reçu, nous avons été profondément touchés par votre volonté sincère de vous raconter et de partager vos histoires avec nous et avec nos lecteurs. Merci!

Compte tenu de l'envergure de ce projet, nous avons sans doute oublié de remercier des personnes très importantes qui nous ont aidés en cours de route. Veuillez nous en excuser, et sachez que votre aide a été vraiment appréciée.

Nous exprimons notre profonde reconnaissance à toutes les mains et tous les cœurs qui ont permis à ce livre de voir le jour. Nous vous aimons tous!

Introduction

Ce livre, nous l'offrons en cadeau à toutes les mères de la terre. En l'écrivant, nous voulions rendre hommage aux mères du monde entier, mais comment remercier une mère d'avoir offert un cadeau aussi précieux que la vie? Pendant que nous lisions les milliers d'histoires qui nous ont été soumises pour ce *Bouillon de poulet pour l'âme d'une mère,* nous avons été extrêmement émus par la profondeur des sentiments que les gens exprimaient à l'endroit de leur mère.

Beaucoup ont parlé des sacrifices que leur mère avait faits. D'autres ont souligné le courage de leur mère. D'autres encore ont raconté à quel point leur mère les avait encouragés et inspirés. Le thème le plus souvent abordé, toutefois, a été celui de l'invincibilité de l'amour maternel.

Nous avons reçu un texte qui résume magnifiquement l'essence de ce thème:

Par une journée paisible, rayonnante, douce et ensoleillée, un ange descendit du ciel, vint en ce vieux monde et erra à travers champs et forêts, cités et hameaux. Au coucher du soleil, il déploya ses ailes et déclara: «Maintenant que je suis au terme de ma visite, je dois retourner dans le monde des lumières. Avant de quitter, cependant, je dois ramasser quelques souvenirs de mon séjour ici-bas.»

Son regard se posa alors sur un magnifique jardin de fleurs et il dit: «Que ces fleurs sont jolies et parfumées!» Il cueillit les roses les plus rares, en fit un bouquet, et dit: «Rien n'est plus magnifique et odorant que ces fleurs; je les emporte avec moi.»

En jetant de nouveau un coup d'œil, toutefois, il aperçut un bébé aux yeux brillants et aux joues roses qui souriait à sa mère. Il déclara alors: «Oh! Le sourire de ce bébé est plus joli encore que ce bouquet; je l'emporte également avec moi.»

Ensuite, il regarda derrière le berceau et vit l'amour d'une mère qui se déversait tel un torrent sur le berceau et l'enfant. Il déclara alors: «Oh! L'amour de cette mère est la plus jolie chose que j'aie vue sur terre; je l'emporte aussi.»

Muni de ces trois trésors, l'ange s'envola vers les portes du paradis, se posa sur leur seuil et dit: «Avant d'entrer, je vais réexaminer mes souvenirs. Il regarda les fleurs, qui étaient maintenant fanées. Il regarda le bébé, dont le sourire était maintenant disparu. Il regarda l'amour de la mère, et celui-ci rayonnait encore de sa beauté immaculée.

Il mit de côté les fleurs flétries et le sourire disparu, puis il franchit les portes, rassembla toutes les créatures du paradis et dit: «Parmi les choses que j'ai ramenées, voici la seule chose qui a préservé toute sa beauté: l'amour d'une mère.»

C'est donc avec le cœur rempli d'amour que nous vous offrons ce *Bouillon de poulet pour l'âme d'une mère*. Puisse ce livre vous faire connaître l'expérience des miracles de l'amour, de la joie et de l'inspiration. Qu'il touche votre cœur et élève votre esprit.

Jack Canfield, Mark Victor Hansen
Jennifer Read Hawthorne et Marci Shimoff

1

L'AMOUR

*L'amour est un fruit de saison
accessible en tout temps et à tous.*

Mère Térésa

Le pardon est l'expression ultime de l'amour.

Reinhold Niebuhr

*Le seul amour véritable digne de ce nom
est l'amour inconditionnel.*

John Powell

Une cargaison d'orphelins

Rien n'est impossible pour l'amour d'une mère.

Paddock

Ce 26 avril 1975, alors que mon amie Carol Dey et moi circulions dans les rues poussiéreuses de Saigon à bord d'une grinçante coccinelle Volkswagen, j'étais persuadée que nous avions l'air de ce que nous étions: deux ménagères de l'Iowa. Trois mois plus tôt, quand Carol et moi avions accepté d'accompagner trois orphelins vietnamiens jusqu'à leurs familles américaines, le voyage nous apparaissait excitant, mais sans danger. De plus, mon mari Mark et moi avions déposé une demande pour adopter éventuellement un orphelin. Nous voulions donc apporter notre contribution, quelle qu'elle soit. Comment Carol et moi aurions-nous pu deviner que nous débarquerions dans une ville en état de siège?

Des bombardements faisaient rage à moins de six kilomètres de la ville, et notre voiture était entourée de gens qui fuyaient en transportant leurs biens les plus précieux dans des charrettes à bras ou sur leur dos. Toutefois, notre chauffeur, Cheri Clark, la directrice outre-mer de Friends of the Children of Vietnam (FCVN), semblait plus excitée qu'effrayée. Dès le moment où nous avions foulé le sol vietnamien, elle nous avait annoncé une nouvelle tout à fait inattendue.

«Saviez-vous que le président Ford, comme mesure de dernier recours pour sauver les enfants, vient d'autoriser leur évacuation massive par avion? Ce n'est plus six, mais 200 orphelins que vous ramènerez au pays!» Carol et moi nous regardâmes, incrédules.

«Hier, nous avons réussi à évacuer 150 enfants», poursuivit Cheri. «À la dernière minute, le gouvernement vietnamien a refusé de laisser partir l'avion, mais comme on lui avait déjà donné l'autorisation de décoller, il est parti! Ces 150 enfants sont maintenant en sécurité à San Francisco!»

Même notre longue expérience comme infirmières ne nous avait pas préparées à ce qui nous attendait au quartier général du FCVN. Tous les planchers de cet imposant manoir de style français étaient jonchés de couvertures et de matelas sur lesquels gisaient des centaines de bébés orphelins ou abandonnés qui pleuraient ou gazouillaient.

Malgré la fatigue occasionnée par le décalage horaire, Carol et moi étions résolues à aider à préparer les enfants pour l'évacuation par avion, prévue pour le lendemain. Les enfants dont nous avions la charge seraient parmi les premiers évacués. Chacun d'eux avait besoin de couches et de vêtements, d'un examen médical et d'un nom légal. Les bénévoles dévoués, tant américains que vietnamiens, travaillèrent 24 heures sur 24.

Le matin suivant, nous apprîmes qu'en guise de représailles pour le décollage non autorisé de l'avant-veille, notre agence ne ferait pas partie du premier vol de la journée. Nous serions autorisés à partir seulement lorsque le gouvernement vietnamien nous en donnerait la permission (s'il nous la donnait...).

«Il ne nous reste plus qu'à attendre et à prier», dit calmement Cheri. Nous étions tous conscients que le temps était compté à Saigon, tant pour les Américains que pour les orphelins.

Entre-temps, Carol et moi nous joignîmes à d'autres bénévoles qui se dépêchaient de préparer des enfants pour un autre vol qui avait été autorisé, cette fois à destination de l'Australie.

Dans une chaleur torride, nous embarquâmes des orphelins dans une fourgonnette Volkswagen dont on avait enlevé la banquette du milieu. Je pris place sur une banquette avec 21 nourrissons entassés à mes pieds; les autres firent de même.

Une fois arrivés à l'aéroport, nous nous retrouvâmes en plein embouteillage. Devant nous, dans le ciel, flottait un énorme nuage de fumée noire. Après avoir franchi la barrière d'entrée, nous entendîmes une terrible rumeur: le premier avion bondé d'orphelins — celui que nous étions supposées prendre — s'était écrasé après le décollage.

Cela ne pouvait pas être vrai. Nous décidâmes de ne pas le croire. Nous n'avions d'ailleurs guère le temps de nous en préoccuper, affairés à embarquer des bébés agités et déshydratés dans l'avion en partance pour la liberté. Carol et moi restâmes debout, main dans la main, pendant le décollage. Lorsque l'avion monta dans le ciel, nous dansâmes sur la piste. Ces jeunes passagers étaient désormais libres!

Notre joie ne dura pas. Une fois de retour dans l'aéroport, nous vîmes des gens en état de choc. Cheri nous confirma en balbutiant ce que nous avions refusé de croire. Des centaines de bébés ainsi que leurs accompagnateurs étaient morts lorsque leur avion avait explosé après le décollage. Personne ne savait si l'avion avait été saboté ou bombardé.

Des secouristes et des bébés! Qui avait pu commettre un tel crime? Et recommenceraient-ils? Dévastée, je m'affalai sur un divan de rotin, incapable de maîtriser mes sanglots. Nous avions remué ciel et terre pour partir dans cet avion qui venait d'être anéanti, comme ma foi d'ailleurs. J'eus le terrible pressentiment que jamais je ne reverrais mon mari et mes filles.

Ce soir-là, Cheri me fit venir près d'elle. Même dans ce monde chargé de surprises renversantes, ses paroles me prirent de court: «Dans le cartable qui contient les papiers que tu as apportés avec toi se trouve ta demande d'adoption. Au lieu d'attendre que l'on t'assigne un enfant, pourquoi ne vas-tu pas t'en choisir un?»

On aurait dit que mes peurs les plus grandes et mes désirs les plus profonds se matérialisaient simultanément. Bien sûr que mes filles seraient ravies de me voir revenir à la maison avec leur nouveau petit frère! Mais comment allais-je pouvoir choisir un enfant? J'entrai tout de même dans la pièce voisine, une prière sur les lèvres.

Pendant que je me promenais dans cet océan de bébés, l'un d'entre eux s'avança vers moi en se traînant, vêtu seulement d'une couche. Lorsque je le pris dans mes bras, il enfouit sa petite tête contre mon cou comme s'il me rendait mon étreinte. Je le portai dans mes bras en marchant dans la salle, regardant et touchant chaque bébé. À l'étage du dessus, il y avait une autre salle aussi bondée d'enfants. Le chérubin qui se trouvait dans mes bras sembla se coller davantage contre moi tandis que je murmurais une prière pour la décision que je m'apprêtais à prendre. Je sentais son souffle sur ma nuque pendant qu'il me serrait et se faufilait jusqu'à mon cœur.

«Salut Mitchell», lui chuchotai-je. «C'est moi ta maman.»

Le lendemain, nous reçûmes la nouvelle tant attendue: notre vol était autorisé à décoller au cours de l'après-midi. Ensemble, tous les bénévoles préparèrent les 150 enfants qui restaient.

Pour chacun des nombreux allers et retours que nous fîmes entre l'orphelinat et l'aéroport, nous placions trois ou quatre bébés par banquette dans un autobus de ville qui était disponible; Carol et moi voyageâmes ensemble.

Puis survint un nouveau désastre. À notre arrivée à l'aéroport, nous apprîmes que le président vietnamien Thieu avait annulé notre vol. Essayant de ne pas céder à la panique et malgré la chaleur étouffante, Carol et moi déchargeâmes les bébés pour les placer dans des abris poussiéreux. Allions-nous pouvoir repartir un jour? Ou allions-nous tous mourir pendant le siège de Saigon?

Finalement, Ross, un employé du FCVN, arriva en trombe. «Le président Thieu vient de permettre un vol, un seul, et le décollage doit se faire sur-le-champ. Il faut faire embarquer ces bébés, et vous également!», nous cria-t-il. Nous pouvions partir!

«Non», répondis-je. «Mon fils est encore au centre du FCVN à attendre un autobus. Je dois aller le chercher.»

«LeAnn», me dit Ross, «tu vois aussi bien que moi dans quelle situation nous sommes. Saisis ta chance et pars. Je te promets que nous ferons l'impossible pour faire sortir ton fils.»

Oui, je voyais très bien dans quelle situation nous étions. «Je ne pars pas sans Mitchell.»

«D'accord, mais dépêche-toi», dit Ross. «Je vais essayer de retarder le décollage jusqu'à ton retour, mais je ne dois pas priver les autres enfants de leur chance de partir.»

Je courus jusqu'à l'autobus. Le chauffeur prit tous les risques possibles en conduisant son véhicule dans cette ville aux abois et me déposa à deux kilomètres du centre. Je courus vers le centre, le pied blessé par une de mes sandales qui s'était brisée. Je l'enlevai sans cesser de courir. En montant l'escalier menant au centre, j'avais un point qui me martelait le côté du thorax.

«L'avion...» J'étais à bout de souffle. Cheri me fit asseoir dans un fauteuil.

«Je sais. Je viens de recevoir un appel de l'aéroport.»

«Et puis?»

Cheri me lança un sourire: «L'avion va t'attendre!».

Je lui rendis son sourire en cherchant à reprendre mon souffle.

«Et ce n'est pas tout. Nous pouvons embarquer plus de bébés dans cet avion, et ils ont autorisé un deuxième vol!»

Des larmes coulaient sur mes joues lorsque je retrouvai Mitchell et le pris dans mes bras. Je fis dans mon cœur le serment de ne plus jamais l'abandonner.

Quelques heures plus tard, le cœur battant, je montai dans un avion dont on avait enlevé les sièges du centre. Vingt boîtes de carton formaient la rangée du milieu et dans chacune se trouvaient trois bébés. Les enfants plus âgés étaient assis, ceinturés, sur les sièges des rangées latérales de l'avion; ils avaient l'air perdus.

On verrouilla les portes de l'avion; les moteurs se mirent en marche dans un grand vacarme. J'avais encore dans l'esprit l'image du gros nuage de fumée flottant au-dessus des débris de l'avion qui s'était écrasé. Je sentis la panique me gagner et serrai Mitchell contre moi. Je fis une prière pendant que l'avion accélérait sur la piste. Puis les roues quittèrent le sol. Si nous sortions vivants des cinq prochaines minutes, je savais que nous arriverions à destination.

Finalement, le commandant parla: «Nous sommes désormais hors de portée de l'artillerie. Nous sommes en sécurité. Nous rentrons chez nous!». L'avion retentit de cris de joie.

Je songeai alors au chaos de la guerre et priai pour ceux que nous laissions derrière. Puis je rendis grâce

pour ce que Carol et moi avions pu faire; nous avions
accompli beaucoup plus que dans nos rêves les plus fous.
Maintenant, nous nous dirigions tous vers de nouvelles
vies pleines d'espoir. Tous, y compris ce fils dont je venais
de découvrir l'existence.

LeAnn Thieman
Tel que raconté par Sharon Linnéa

THE FAMILY CIRCUS ® *par Bil Keane*

**«J'ai sûrement DEUX cœurs, maman,
pour t'aimer autant!»**

Reproduit avec l'autorisation spéciale de King Feature Syndicate.

Une surprise pour maman

À Noël, chez nous, on pouvait voir et sentir partout dans la maison les joies d'une famille où règne l'amour. Les odeurs de la dinde rôtie, du jambon cuit à la mode du Sud et du pain maison flottaient dans l'air. Ici et là, des tables et des chaises étaient disposées à l'intention des jeunes enfants, des adolescents, des parents et des grands-parents. Chaque pièce de la maison était somptueusement décorée. Aucun membre de la famille n'avait raté un Noël en compagnie de maman et papa.

Cette année-là, toutefois, les choses étaient différentes. Notre père était décédé le 26 novembre, et c'était notre premier Noël sans lui. Maman faisait de son mieux pour accomplir avec grâce son devoir d'hôtesse, mais je sentais à quel point cela lui était difficile. La gorge nouée, je me demandais pour la énième fois si j'allais offrir ou non à maman le présent que je lui destinais; maintenant que papa n'était plus là, je ne savais plus si ce cadeau était encore approprié.

Quelques mois plus tôt, j'avais apporté la touche finale aux portraits que j'avais peints de chacun de mes parents. J'avais projeté de leur offrir ces portraits pour Noël. Comme je n'avais jamais étudié la peinture, pas plus que je n'en avais fait de manière assidue, ce cadeau serait une surprise pour tous. Une envie irrésistible de les leur offrir en cadeau me tenaillait. Les portraits étaient assez ressemblants, même si j'étais encore peu sûre de ma technique.

Un jour, pendant que je peignais, la sonnette d'entrée avait retenti. Après avoir rangé à la hâte mon matériel de peinture, j'avais ouvert la porte. À mon grand étonnement, c'était mon père, seul. Jamais il n'était venu me rendre visite sans ma mère. Il m'avait dit en souriant: «J'ai la nostalgie de nos petites discussions matinales, tu sais, celles que nous avions avant que tu ne décides de me quitter pour un autre homme!». J'étais mariée depuis peu, sans compter que j'étais la seule fille et, de surcroît, la benjamine.

J'avais tout de suite eu l'envie de lui montrer les portraits, mais j'avais hésité à lui dévoiler sa surprise de Noël. Pourtant, j'avais senti que je devais partager ce moment avec lui. Après lui avoir fait promettre de garder le secret, je lui avais ordonné de fermer les yeux, le temps pour moi d'installer les toiles sur les chevalets. «Ok, papa, tu peux ouvrir les yeux maintenant.»

Décontenancé, il était resté silencieux. Il s'était levé et s'était approché des tableaux pour mieux les examiner. Puis il avait reculé de quelques pas pour les contempler à distance. Je m'étais efforcée de contrôler les palpitations de mon cœur. Finalement, une larme avait coulé sur sa joue et il avait murmuré: «Je n'en reviens pas. Les yeux sont si réels qu'ils semblent nous suivre du regard. Et ta mère, qu'elle est belle! Me laisseras-tu les faire encadrer?»

Ravie de sa réaction, je m'étais offerte pour porter les portraits dès le lendemain chez l'encadreur.

Plusieurs semaines avaient passé. Puis, un soir de novembre, le téléphone avait sonné et un frisson glacé avait parcouru tout mon corps. J'avais décroché le combiné. C'était mon mari, qui est médecin: «Je suis à la salle d'urgence. Ton père a eu un accident cérébro-vasculaire. C'est grave, mais il est encore en vie.»

Papa était resté dans le coma pendant plusieurs jours. Je lui avais rendu visite à l'hôpital la veille de sa mort. Glissant ma main dans la sienne, je lui avais demandé: «Me reconnais-tu, papa?». Au grand étonnement de tous, il avait murmuré: «Tu es ma fille chérie.» Il s'était éteint le lendemain, et on aurait dit que toute joie venait de disparaître de ma vie et de celle de ma mère.

Je m'étais souvenue de téléphoner à la boutique d'encadrement et j'avais remercié Dieu d'avoir donné la chance à mon père de voir les portraits avant de mourir. À ma grande surprise, le propriétaire de la boutique avait déclaré que mon père était venu le voir, avait réglé la facture et avait demandé un emballage-cadeau. Submergée de chagrin, j'avais renoncé à offrir les portraits à ma mère.

Nous avions donc perdu le patriarche de la famille cette année-là, mais toute la famille était présente pour Noël et s'efforçait d'être gaie. Devant le visage triste de ma mère, je décidai de lui donner le cadeau que papa et moi lui destinions. Pendant qu'elle le déballa, je vis bien dans ses yeux que le cœur n'y était pas. Il y avait une petite carte de souhaits attachée aux portraits.

Après avoir regardé les peintures et lu la carte, son attitude se transforma. Elle se leva de son fauteuil, me tendit la carte et ordonna à mes frères d'accrocher les tableaux, vis-à-vis, au-dessus du foyer. Puis, elle recula et les contempla un long moment. Elle se tourna alors vers nous, les yeux brillants de larmes, et dit: «Je savais que papa serait avec nous pour Noël!»

Je jetai un coup d'œil à la carte où on reconnaissait l'écriture de mon père. «Maman, notre fille m'a rappelé quel bonheur j'ai de t'avoir. Désormais, je pourrai te regarder pour toujours. Papa.»

Sarah A. Rivers

Quel dommage!

Ses deux filles étaient adolescentes lorsque mon amie Debbie ressentit les symptômes de ce qui ressemblait à une grosse grippe. Elle consulta son médecin de famille qui lui annonça qu'elle n'avait pas contracté le virus de la grippe, mais celui de l'amour. Elle était enceinte.

La naissance de Tommy, un magnifique garçon rayonnant de santé, fut un événement à célébrer en soi. Puis, au fil des années, il sembla que chaque journée apportait une nouvelle raison de célébrer la venue de cet enfant. Tommy était un petit garçon adorable, prévenant, espiègle et très agréable à côtoyer.

Un jour, alors que Tommy avait environ cinq ans, il accompagna sa mère au centre commercial. Aussi spontanément que le font tous les enfants, Tommy posa une drôle de question à sa mère: «Maman, quel âge avais-tu quand je suis né?»

«Trente-six, Tommy. Pourquoi?», rétorqua sa mère en se demandant ce qui se tramait dans ce petit cerveau.

«Quel dommage!» répondit Tommy.

«Comment cela?» demanda Debbie, de plus en plus intriguée.

Le regard rempli d'amour, Tommy déclara à sa mère: «Eh bien, pense à toutes ces années où nous ne nous connaissions pas!».

Alice Collins

La fête des Mères

Il y a 26 ans, mon copain de l'armée Dan et moi montâmes à bord de sa Corvette bleue métallique, équipés d'une glacière et vêtus de shorts et de t-shirts, puis nous franchîmes la sortie de Fort McClellan, gardée par des policiers militaires à la mine sombre. Munis de nos papiers de permission pour le week-end, les poches pleines de beaux dollars tout neufs provenant de notre première paie du camp d'été de l'armée de réserve, nous mîmes le cap sur la Floride. L'armée était maintenant le dernier de nos soucis. Nous avions eu la chance de ne pas voir nos noms figurer sur la liste du tableau de service pour la fin de semaine; aussi avions-nous décidé qu'un week-end à la plage nous ferait le plus grand bien après quatre jours de rations militaires et de moustiques dans les collines de l'Est de l'Alabama.

Cette année-là, notre camp se tenait plus tôt que d'habitude. Nous étions en mai et le temps était magnifique. Lorsque nous arrivâmes à Birmingham, visages au vent et musique à plein volume, nous décidâmes de faire un arrêt afin de téléphoner à nos mères pour la fête des Mères, avant de reprendre la route.

J'appelai donc ma mère à la maison. Elle revenait de l'épicerie. Au ton de sa voix, je devinai qu'elle était déçue de mon absence pour ce jour de fête. «Bon voyage et sois prudent. Tu nous manqueras», dit-elle.

De retour à la voiture, j'aperçus dans les yeux de Dan le même sentiment de culpabilité que celui qui me hantait. Il fallait prendre un instant pour réfléchir. Ça y est! Nous avions trouvé: nous enverrions des fleurs.

Nous repérâmes une boutique de fleurs de Birmingham et nous garâmes dans le stationnement. À la hâte, chacun de nous gribouilla un petit mot d'accompagnement pour les fleurs qui nous libéreraient de la culpabilité que nous ressentions à l'idée de passer le week-end à la plage plutôt qu'auprès de nos chères mamans.

Nous attendîmes dans la boutique pendant que le commis aidait un petit garçon à choisir un arrangement floral de toute évidence destiné à sa mère. Impatients de reprendre la route, nous avions hâte de payer nos fleurs.

Le petit garçon rayonnait de fierté lorsqu'il se tourna vers moi, son arrangement floral entre les mains, pendant que le fleuriste écrivait la facture. «Maman les adorerait, j'en suis certain», dit-il. «Ce sont des œillets. Elle a toujours aimé les œillets.»

«Je vais les mélanger avec des fleurs de notre jardin», ajouta-t-il, «avant d'aller les porter au cimetière.»

Je regardai le commis qui nous tournait le dos et cherchait un mouchoir. Puis je regardai Dan. Nous suivîmes des yeux le petit garçon qui sortit de la boutique avec son précieux bouquet à la main et se glissa sur la banquette arrière de la voiture de son père.

«Vous avez fait votre choix?» nous demanda le commis, à peine capable de parler.

«Je crois que oui», répondit Dan. Nous jetâmes nos petits mots d'accompagnement dans la corbeille et retournâmes vers la voiture en silence.

«Je viendrai te prendre dimanche soir aux environs de cinq heures», me dit Dan au moment où il me déposa devant la maison de mes parents.

«Je serai prêt», lui répondis-je en sortant mon sac de marin du coffre de la voiture.

La Floride, ce serait pour une prochaine fois.

Niki Sepsas

Les pinces à cheveux

Quand j'avais sept ans, j'entendis ma mère dire à une de ses amies que le lendemain serait son 30ᵉ anniversaire de naissance. En entendant ces paroles, deux idées me vinrent à l'esprit. De un: je pris conscience pour la première fois que ma mère avait un anniversaire de naissance. De deux: dans mon souvenir, jamais elle n'avait reçu de cadeau d'anniversaire.

Il fallait que je fasse quelque chose. J'allai dans ma chambre, ouvris ma tirelire et pris tout l'argent qu'elle contenait: cinq pièces de cinq cents. Cette somme représentait cinq semaines d'argent de poche. Ensuite, je me rendis au magasin du coin et j'annonçai au propriétaire, M. Sawyer, que je désirais acheter un cadeau d'anniversaire pour ma mère.

Il me montra toutes les choses qui coûtaient 25 cents ou moins. D'abord des figurines en céramique. Ce genre d'objet aurait sûrement plu à maman, sauf que la maison en était déjà pleine et que j'étais celle qui avait pour tâche de les épousseter une fois par semaine. Il me fallait trouver autre chose. Le propriétaire me montra donc des petites boîtes de bonbons; or, comme ma mère souffrait de diabète, il n'était pas très approprié de lui offrir des sucreries.

La dernière chose que me montra M. Sawyer fut un paquet de pinces à cheveux. Ma mère avait de longs et magnifiques cheveux noirs qu'elle lavait et bouclait avec des pinces à cheveux deux fois par semaine. Quand elle retirait les pinces le lendemain, ses longues boucles noires qui tombaient sur ses épaules lui donnaient l'allure d'une vedette de cinéma. Je conclus donc que le paquet de pinces à cheveux serait le cadeau idéal pour maman. Je tendis mes cinq pièces de cinq cents à M. Sawyer, qui me donna les pinces à cheveux.

Je ramenai les pinces à cheveux à la maison et les emballai dans la page de bandes dessinées du journal du dimanche (il ne me restait plus d'argent pour acheter du papier d'emballage). Le matin suivant, devant la famille attablée pour le petit déjeuner, je m'approchai de maman, lui tendis le paquet et lui dis: «Joyeux anniversaire, maman!».

Stupéfaite, ma mère resta silencieuse un long moment. Puis, les yeux pleins de larmes, elle déchira l'emballage de bandes dessinées. Le temps de déballer tout le paquet, elle sanglotait.

Je me confondis en excuses: «Je suis désolée, maman! Je ne voulais pas te faire pleurer. Je voulais seulement que tu aies un bel anniversaire.»

«Mais ma chérie, je suis heureuse!», me répondit-elle. En la regardant dans les yeux, je vis qu'il y avait effectivement un sourire à travers ses larmes. «Vois-tu, c'est le premier cadeau d'anniversaire que je reçois de toute ma vie», s'exclama-t-elle.

Elle m'embrassa sur la joue en disant: «Merci, ma chérie.» Elle se tourna alors vers ma sœur: «Regarde! Linda m'a offert un cadeau d'anniversaire.» Puis elle se tourna vers mon père: «*Regarde! Linda m'a offert un cadeau d'anniversaire!*».

Elle disparut ensuite dans la salle de bains pour laver ses cheveux et les boucler avec ses nouvelles pinces à cheveux.

Après qu'elle eut quitté la pièce, mon père me regarda et expliqua: «Linda, quand j'étais jeune et que je vivais dans les montagnes (mon père disait toujours *dans les montagnes* pour désigner le village de Virginie où il avait

grandi), on ne se préoccupait guère de s'offrir des cadeaux
d'anniversaire entre adultes. C'était seulement pour les
gamins. Mais la famille de ta mère était tellement pauvre
que même les enfants ne recevaient rien. Maintenant que
je vois à quel point tu as rendu maman heureuse
aujourd'hui, je vais repenser à toute cette histoire d'anniversaire. Linda, ce que je veux dire, c'est que tu viens de
créer un précédent.»

Je créai bel et bien un précédent: à partir de ce jour-
là, ma mère fut littéralement inondée de cadeaux à chacun de ses anniversaires de naissance par ma sœur, mes
frères, mon père et moi. Et évidemment, plus nous gran-
dissions, plus nous disposions d'argent et plus elle recevait de beaux cadeaux. Avant mes 25 ans, je lui avais déjà
offert une chaîne stéréo, un téléviseur couleur et un four
à micro-ondes (qu'elle échangea pour un aspirateur).

Pour le 50e anniversaire de maman, mes frères, ma
sœur et moi réunîmes nos ressources pour lui offrir un
présent spectaculaire: une bague sertie d'une perle
entourée de diamants. Lorsque l'aîné de la famille lui
offrit ce cadeau à l'occasion de la fête donnée en son honneur, elle ouvrit l'écrin de velours et regarda la bague
qu'il contenait. Puis elle esquissa un sourire, montra
l'écrin pour que tous les invités puissent contempler son
cadeau et déclara: «J'ai des enfants merveilleux, n'est-ce
pas?». Elle fit alors circuler la bague parmi les invités.
Quelle sensation délicieuse ce fut d'entendre les soupirs
d'admiration qui emplissaient la pièce chaque fois que la
bague changeait de mains.

Une fois les invités partis, je restai un moment pour
aider à ranger. J'étais en train de laver la vaisselle dans
la cuisine lorsque j'entendis mon père et ma mère discuter dans la pièce d'à côté. «Pauline, c'est toute une bague

que les enfants t'ont offerte! C'est à mon avis le plus beau cadeau d'anniversaire que tu aies jamais reçu.»

Mes yeux se remplirent de larmes lorsque j'entendis la réponse que lui fit ma mère: «Ted, c'est vrai que c'est une bague magnifique. Mais sais-tu quel a été mon plus beau cadeau d'anniversaire? Eh bien, ce fut un paquet de pinces à cheveux.»

Linda Goodman

Serre ma main
et je te dirai que je t'aime

Vous rappelez-vous lorsque vous étiez enfant et que vous vous faisiez mal en tombant? Vous rappelez-vous ce que faisait votre mère pour chasser la douleur? Ma mère, Grace Rose, me prenait dans ses bras, me transportait jusqu'à son lit, me faisait asseoir et embrassait mon «bobo». Puis elle s'assoyait à côté de moi, prenait ma main dans la sienne et disait: «Si ça fait mal, serre ma main et je te dirai que je t'aime.» Je serrais alors sa main à plusieurs reprises et chaque fois, invariablement, j'entendais ces mots: «Mary, je t'aime.»

Parfois, je feignais une blessure uniquement pour répéter ce rituel avec elle. En grandissant, le rituel se transforma, mais ma mère trouva toujours le moyen de soulager la douleur et d'accroître mon bonheur dans tous les aspects de ma vie. Par exemple, lorsque je traversais une période difficile pendant mes études, elle m'offrait à mon retour à la maison une tablette de chocolat aux amandes dont j'étais friande. Plus tard, lorsque j'étais dans la vingtaine, maman m'appelait souvent pour me proposer un pique-nique impromptu au Estabrook Park, histoire de célébrer une chaude journée ensoleillée du Wisconsin. Et chaque fois que ma mère et mon père me rendaient visite chez moi, je trouvais peu après dans ma boîte aux lettres une note manuscrite où elle me rappelait à quel point je comptais pour eux.

Le rituel le plus mémorable, toutefois, reste ces moments où elle prenait ma petite main d'enfant dans la sienne et me disait: «Si ça fait mal, serre ma main et je te dirai que je t'aime.»

Un jour (j'étais alors à la fin de la trentaine), mon père me téléphona. La veille, lui et ma mère m'avaient rendu visite. Sa voix, d'habitude directe et autoritaire, exprimait la confusion et la panique. «Mary, il y a quelque chose qui ne va pas avec ta mère. Je ne sais pas quoi faire. Je t'en prie, viens aussi vite que tu peux.»

Durant le trajet de dix minutes qui menait chez mes parents, j'appréhendais le pire, me demandant sans cesse ce qui avait bien pu arriver à maman. Une fois chez mes parents, je trouvai mon père dans la cuisine à faire les cent pas pendant que ma mère se reposait sur son lit, les yeux clos et les mains posées sur son ventre. Je m'annonçai, m'efforçant de parler le plus calmement possible: «Maman, c'est moi.»

«Mary?»

«Oui, maman.»

«Mary, c'est bien toi?»

«Oui, maman, c'est moi.»

La question qu'elle me posa alors me prit au dépourvu; en l'entendant, je figeai, ignorant quoi lui répondre.

«Mary, est-ce que je vais mourir?»

Je regardai ma mère adorée qui gisait là, si impuissante, et je sentis les larmes me monter aux yeux.

Les idées se bousculèrent dans mon esprit jusqu'à ce que je me pose la question suivante: *Qu'est-ce que maman répondrait?*

Je restai silencieuse pendant un moment qui m'apparut interminable, cherchant mes mots. «Maman, j'ignore si tu vas mourir, mais si l'heure est venue, ça va aller. Je t'aime.»

Elle s'écria: «Mary, j'ai tellement mal!».

De nouveau, je ne sus pas quoi lui répondre. Je m'installai à côté d'elle sur le lit, lui pris la main et entendis ces paroles sortir de ma bouche: «Maman, si ça fait mal, serre ma main et je te dirai que je t'aime.»

Elle serra ma main.

«Maman, je t'aime.»

Au cours des deux années qui suivirent, en fait jusqu'à ce que ma mère meure d'un cancer des ovaires, elle serra ma main et m'entendit dire «Je t'aime» de nombreuses fois.

Personne ne connaît l'heure de son grand départ, mais si la mort revient encore, cependant, peu importe qui elle m'enlèvera, je sais que j'offrirai ce tendre rituel d'amour: «Si ça fait mal, serre ma main et je te dirai que je t'aime.»

Mary Marcdante

«On s'en va à la boutique d'articles de pêche chercher ton cadeau de la fête des Mères.»

Je l'oublie toujours

Un jour, une jeune femme du nom de Mary donna naissance à son premier enfant. En l'absence de son mari, un militaire parti en mission, Mary s'installa pour quelques semaines chez ses parents.

Un jour, Mary dit à sa mère que la chevelure rousse de son bébé l'étonnait compte tenu que son mari et elle avaient tous deux les cheveux blonds.

«Mais Mary, rappelle-toi que ton père a les cheveux roux», lui répondit sa mère.

«Mais maman, cela ne compte pas puisque je suis une enfant adoptée», rétorqua Mary.

La mère sourit et prononça les mots les plus doux que sa fille ait entendus dans sa vie: «Je l'oublie toujours.»

The Best of Bits & Pieces

Un enfant est né

Un dimanche, peu de temps avant l'Action de grâce, Angus McDonnell, un membre de mon église, m'annonça la naissance de son petit-fils, «le petit Angus Larry», et me demanda de le baptiser. Comme la famille de cet enfant vivait dans un autre État et que notre église prenait très au sérieux son engagement de soutenir ceux qu'elle baptisait, notre conseil d'église hésita à accepter.

Toutefois, Angus McDonnell refusa de lâcher prise et le dimanche suivant, le petit Angus Larry fut baptisé en présence de ses parents, Larry et Sherry, de grand-papa Angus, de grand-maman Minnie et de nombreux membres de la famille.

En matière de baptême, notre église suit la tradition suivante: au début de la célébration, le pasteur demande «Qui répond de cet enfant?», puis tous les membres de la famille élargie du petit baptisé se lèvent et restent debout pendant toute la cérémonie. Je pris donc le petit Angus Larry dans mes bras et posai la question. Toute sa parenté se leva.

Après la cérémonie, tous retournèrent chez eux pour terminer les restes de dinde de l'Action de grâce. Pour ma part, je retournai au temple pour éteindre les lumières. En m'approchant de l'autel, je vis une femme d'âge moyen assise au premier banc. Elle semblait très embarrassée de s'adresser à moi. Finalement, elle me dit qu'elle s'appelait Mildred Cory et qu'elle avait beaucoup aimé la cérémonie du baptême. Après un long silence, elle ajouta: «Ma fille Tina vient d'avoir un bébé et... euh... il devrait lui aussi être baptisé, n'est-ce pas?».

Je lui suggérai que Tina et son mari me téléphonent pour en discuter. Mais Mildred hésita encore et, finalement, elle se décida à me regarder droit dans les yeux: «Tina n'a pas de mari. Elle n'a que 18 ans et a célébré sa confirmation dans cette même église, il y a de cela quatre ans. Elle avait l'habitude de venir à la classe de catéchèse, mais elle a commencé à fréquenter ce gars qui a décroché de l'école...»

Elle déballa alors tout son sac: «... puis elle est tombée enceinte et a décidé de garder l'enfant. Elle veut qu'il soit baptisé dans sa propre église, mais elle a peur de venir vous voir et de vous parler, révérend. Elle a prénommé le bébé James — Jimmy.»

Je répondis que je transmettrais sa requête au conseil d'église pour approbation.

Lorsqu'on aborda le sujet à la réunion du conseil, j'expliquai ce que tous savaient déjà: que Tina était membre de notre église, qu'elle n'était pas mariée et que j'ignorais l'identité du père. Mais bien entendu, tout le monde savait qui était le père; nous vivons dans un petit village.

Quelques questions furent soulevées, à savoir si on pouvait avoir l'assurance que Tina respecterait l'engagement qu'elle prenait en faisant baptiser son enfant. Je mentionnai qu'après tout Tina et le petit Jimmy vivaient dans le même village que nous et que nous pouvions tous leur accorder notre soutien.

Le seul problème résidait dans cette triste scène que nous appréhendions tous: Tina, une adolescente encore boutonneuse, son petit Jimmy dans les bras, et Mildred Cory, la seule personne qui se lèverait lorsque la question serait posée. Cette image nous attristait d'avance. Néanmoins, le conseil donna son accord pour le baptême, qui aurait lieu le dernier dimanche de l'Avent.

Ce jour-là, l'église était bondée comme c'est toujours le cas le dimanche qui précède Noël. Tina, d'un pas vif et nerveux, remonta l'allée centrale, ne souriant qu'en ma direction, tremblant légèrement, le petit Jimmy dans les bras.

Cette jeune mère semblait si seule. Une existence ardue s'annonçait pour ces deux êtres.

Je lus le texte d'introduction de la cérémonie puis, cherchant du regard Mildred Cory, je posai la question: «Qui répond de cet enfant?». Je fis un signe de tête à Mildred pour l'inviter à se lever. Lentement, elle se leva, regardant à sa droite et à sa gauche, puis elle me rendit mon sourire.

Je posai de nouveau les yeux sur mon livre. Au moment où j'allais poser à Tina la question destinée aux parents du baptisé, je sentis qu'il y avait du mouvement dans l'église.

Angus McDonnell venait de se lever, Minnie à ses côtés. Puis d'autres personnes âgées firent de même. Puis le responsable de la catéchèse pour les élèves finissant leur primaire, puis un jeune couple nouvellement membre de notre église. Bientôt, je vis, incrédule, toute l'assemblée réunie se lever pour le petit Jimmy.

Tina pleurait. Mildred Cory s'agrippa au banc comme si elle se trouvait sur le pont d'un navire qui tanguait, ce qui, d'une certaine façon, était le cas.

Le passage de la Bible que je lus ce dimanche-là contenait ces quelques versets de la première épître de Jean:

Vois tout l'amour que notre Père nous a donné pour que nous puissions être appelés enfants de Dieu... Personne n'a jamais vu Dieu; si nous nous aimons les uns les autres, Dieu est en nous et son amour s'accomplit parmi nous...

Il ne faut pas craindre d'aimer, car l'amour parfait exorcise la peur.

Ces paroles prirent tout leur sens à l'occasion du baptême de Jimmy; elles s'étaient faites chair, et tous l'ont ressenti.

Révérend Michael Lindvall

La plupart des enfants ne naissent qu'une fois

Avant même que tu sois conçu, je te désirais;
Avant même que tu naisses, je t'aimais;
Avant même que tu ouvres les yeux pour la
*   première fois, j'aurais donné ma vie pour toi;*
Voilà le miracle de l'amour.

Maureen Hawkins

Une mère est toujours là quand on a besoin d'elle. Elle aide, elle protège, elle écoute, elle conseille, elle prend soin tant de notre corps que de notre esprit. Elle s'assure que sa famille reçoive de l'amour 24 heures sur 24, sept jours par semaine, 52 semaines par année. C'est en tout cas le souvenir que je garde de ma mère et des quelques précieuses années où j'ai eu le bonheur de l'avoir. De toute façon, les mots ne peuvent décrire le sacrifice qu'elle a fait par amour pour moi, son fils.

Lorsque j'avais 19 ans, on m'emmena avec de nombreux autres Juifs vers un camp de concentration. De toute évidence, la mort allait être notre destination finale. Soudain, ma mère se joignit au groupe pour changer de place avec moi. Bien que cela se soit passé il y a plus de 50 ans, jamais je n'oublierai les dernières paroles qu'elle me dit, le regard qu'elle me lança en guise d'adieu.

«J'ai vécu suffisamment longtemps. Tu as le droit de survivre; tu es si jeune», avait-elle dit.

La plupart des enfants ne naissent qu'une fois. Moi, je suis né deux fois de la même mère.

Joseph C. Rosenbaum

La porte est toujours ouverte

Quand tu étais petit
Et que tu vivais auprès de moi,
Je te couvrais de lainages
Pour te protéger du froid la nuit;
Maintenant que tu es grand
Et que tu vis loin de moi,
Je joins les mains
Et te couvre de prières.

Dona Maddux Cooper

Il était une fois une jeune fille qui vivait à Glasgow, en Écosse. Comme tant d'autres adolescents, elle se lassa de vivre chez ses parents et de supporter les restrictions qu'ils lui imposaient. Rejetant leur mode de vie guidé par la religion, elle leur dit: «Je ne veux pas de votre Dieu. J'abandonne. Je m'en vais.»

Elle partit de chez ses parents, déterminée à devenir une femme du monde. Avant longtemps, cependant, elle perdit courage. Incapable de dénicher du travail, elle se retrouva à la rue à vendre son corps comme prostituée. Les années passèrent, son père mourut, sa mère devint vieille, et leur fille s'enfonça dans sa misère.

Tout au long de ces années, il n'y eut aucun contact entre la fille et sa mère. Un jour, la mère entendit parler de l'endroit où se trouvait sa fille; elle se rendit donc dans les bas-quartiers de la ville à la recherche de son enfant. Elle fit le tour des refuges pour sans-abri, et chaque fois elle demandait la même chose: «Accepteriez-vous d'afficher cette photo?». Sur la photo, on voyait la mère aux cheveux argentés, souriante, ainsi que ce message écrit à la main: «Je t'aime toujours. Reviens à la maison!».

Quelques mois passèrent, et rien ne se produisit. Puis un jour la fille affamée entra dans un refuge pour sans-abri. Elle s'assit en écoutant d'une oreille distraite le service religieux. En jetant un coup d'œil sur le tableau d'affichage, elle aperçut la photo et se demanda *Se pourrait-il que ce soit maman?*

Sans attendre la fin du service religieux, elle se leva et alla voir de plus près. C'était bel et bien la photo de sa mère, accompagnée des mots «Je t'aime toujours. Reviens à la maison!». Debout devant la photo, elle éclata en sanglots. C'était trop beau pour être vrai.

La nuit était déjà tombée, mais le message de sa mère l'avait tellement émue qu'elle partit à pied en direction de la maison familiale. Elle y arriva aux petites heures du matin. Effrayée, elle s'approcha, sans trop savoir que faire. Lorsqu'elle frappa à la porte, celle-ci s'ouvrit toute seule. Elle crut qu'un voleur s'était introduit dans la maison. Inquiète pour sa mère, la jeune femme courut jusqu'à sa chambre et la trouva endormie. Secouant sa mère pour la réveiller, elle cria: «C'est moi! C'est moi! Je suis revenue!»

La mère n'arrivait pas à y croire. Elle essuya ses larmes, puis les deux femmes s'enlacèrent. La fille dit: «J'étais si inquiète. La porte était ouverte et j'ai cru qu'un cambrioleur était dans la maison!»

La mère répondit doucement: «Non, ma chérie. Depuis le jour où tu es partie, la porte est toujours restée ouverte.»

Robert Strand

Maman d'un jour

En tant que mère de trois magnifiques enfants, j'ai beaucoup de beaux souvenirs à partager. Toutefois, un de mes plus beaux moments comme mère concerne l'enfant de quelqu'un d'autre. C'est un souvenir que je chérirai jusqu'à la fin de mes jours.

L'été dernier, Michael a participé à notre camp sur l'estime de soi. Il nous était envoyé par la maison d'accueil où il vivait. Âgé de 12 ans, Michael avait eu une vie difficile. Originaire d'un pays déchiré par la guerre, son père l'avait amené aux États-Unis après la mort de sa mère afin qu'il puisse avoir «une vie meilleure». Malheureusement, Michael avait été confié à une tante qui le maltraita physiquement et psychologiquement. Il était devenu un petit dur qui se méfiait de tout le monde et qui se croyait indigne d'affection.

Au camp d'été, Michael se tenait avec une bande de garçons négatifs et frustrés qui, comme lui, jouaient aux durs. Pour nous, les animateurs, cette bande représentait un défi à relever, mais nous n'avons pas baissé les bras et nous avons continué de les accepter et de les aimer comme ils étaient. Nous savions que leur comportement était révélateur d'une blessure intérieure profonde.

Le cinquième soir du camp, qui durait sept jours, nous avons annoncé aux enfants que nous allions camper à la belle étoile. Quand Michael nous a entendus parler de cette activité, il a déclaré que c'était «stupide» et qu'il ne voulait pas y participer. Refusant de lutter contre son désaccord, nous avons continué de préparer l'activité comme prévu.

Alors que la soirée tirait à sa fin et que la lune brillait, les enfants ont commencé à installer leurs sacs de couchage sur un grand quai près du lac.

J'ai alors remarqué que Michael marchait seul, la tête basse. Il m'a vue et s'est approché vers moi d'un pas rapide. Voulant éviter d'entendre ses lamentations, je lui ai dit: «Allez Michael, va chercher ton sac de couchage et trouve-toi une bonne place avec tes amis».

«Je n'ai pas de sac de couchage», a-t-il marmonné.

«Ce n'est pas un problème», me suis-je exclamé. «Nous n'avons qu'à ouvrir quelques sacs de couchage et je vous donnerai des couvertures pour vous couvrir.»

Convaincue d'avoir résolu le problème, je lui ai tourné le dos pour m'éloigner. Michael a tiré sur ma manche, toutefois, et m'a prise à l'écart.

«Anne, j'ai quelque chose à te dire.» Le visage de ce grand garçon aux allures de dur s'est alors couvert de honte et d'embarras pendant qu'il me confiait, d'une voix à peine audible: «Vois-tu, j'ai un problème. Je... Je... Je fais pipi au lit et cela m'arrive à chaque nuit.» J'étais très soulagée qu'il m'ait chuchoté cela à l'oreille et qu'il n'ait pas vu la stupéfaction sur mon visage. Jamais je n'aurais pensé que son attitude négative pouvait venir de ce problème. Je l'ai remercié de m'avoir confié son «problème» et lui ai dit que je comprenais sa mauvaise humeur à l'idée de coucher à la belle étoile. D'un commun accord, nous avons décidé qu'il pourrait dormir seul au chalet et il a quitté le groupe sans faire de bruit.

Je l'ai accompagné et, pendant le long trajet qui menait au chalet, je lui ai demandé si la perspective de dormir seul l'effrayait. Il m'a assurée du contraire et a déclaré qu'il avait vécu des choses beaucoup plus effrayantes dans sa vie. Tandis que nous plaçions sa dernière paire de draps propres sur son lit, nous avons parlé des difficultés qu'il avait rencontrées au cours des 12 premières années de sa vie, et il m'a avoué qu'il souhaitait ardemment que l'avenir soit différent. Je lui ai dit qu'il n'en tenait qu'à lui de tirer le meilleur de la vie. Pour la première fois de la semaine, il m'est apparu comme un garçon vulnérable, tendre et sincère.

Lorsqu'il s'est glissé sous les couvertures, je lui ai offert de le border. «Ça veut dire quoi, border?», m'a-t-il demandé, l'air curieux. La larme à l'œil, je l'ai bordé jusqu'au menton, puis j'ai déposé un baiser sur son front.

«Bonne nuit, Michael, t'es un garçon formidable!», ai-je murmuré.

«Bonne nuit et... euh... merci d'avoir été gentille comme une mère avec moi aujourd'hui», a-t-il répondu d'une voix sincère.

«Tout le plaisir a été pour moi, mon petit», lui ai-je dit en le serrant dans mes bras. Pendant que je me dirigeais vers la porte, trois paires de draps souillés sous le bras et des larmes coulant sur mes joues, j'ai remercié Dieu pour l'amour qui peut exister entre une mère et son fils, même si cela ne dure qu'un jour.

Anne Jordan

2

LA SAGESSE MATERNELLE

Dieu ne peut pas être présent partout à la fois,
alors il a créé les mères.

Proverbe arabe

À lire quand tu seras seul

J'avais 13 ans. Un an auparavant, ma famille avait quitté le sud de la Californie pour s'installer dans le nord de l'État de la Floride. C'est avec la rage au cœur que j'entrai dans l'adolescence. J'étais plein de colère et prêt à me rebeller; je faisais peu de cas de ce que mes parents disaient, surtout si cela me concernait directement. Comme tant d'autres adolescents, je m'efforçais de fuir tout ce qui ne cadrait pas avec ma vision du monde. J'étais un «petit futé qui n'avait pas besoin de conseils» et je rejetais toutes les manifestations d'affection. En fait, même le mot *amour* me rebutait.

Un soir, après une journée particulièrement difficile, je me précipitai dans ma chambre, claquai la porte et me mis au lit. En glissant mes mains sous l'oreiller, je trouvai une enveloppe. Elle disait: «À lire quand tu seras seul».

Comme j'étais seul et que personne ne saurait si j'avais lu ou non la lettre, je décidai d'ouvrir l'enveloppe. Voici ce que la lettre disait: «Mike, je sais que la vie n'est pas facile pour toi présentement, je sais que tu te sens frustré et je sais que nous faisons des erreurs. Je sais aussi que je t'aime et que rien de ce que tu diras ou feras y changera quoi que ce soit. Je suis là si tu as envie de parler; si tu préfères te taire, je respecte ta décision. Je veux seulement que tu saches ceci: quoi que tu fasses et où que tu ailles dans la vie, je t'aimerai toujours et je serai fière que tu sois mon fils. Je suis là pour toi et je t'aime, et cela ne changera jamais. Affectueusement, Maman.»

Cette lettre fut la première d'une série de lettres intitulées «À lire quand tu seras seul». Jamais ma mère et moi ne fîmes allusion à ces lettres.

Aujourd'hui, je parcours le monde afin d'aider les autres. Un jour, je me trouvais à Sarasota, en Floride, pour diriger un séminaire. À la fin de la journée, une femme est venue me voir pour me parler des difficultés qu'elle rencontrait avec son fils. Nous avons fait une promenade sur la plage et je lui ai parlé de l'amour inconditionnel de ma mère et des lettres «À lire quand tu seras seul». Quelques semaines plus tard, elle m'a envoyé une carte pour me dire qu'elle avait écrit sa première lettre et l'avait glissée sous l'oreiller de son fils.

Ce soir-là, lorsque je me suis couché, j'ai glissé mes mains sous l'oreiller et me suis rappelé le soulagement que j'éprouvais chaque fois que j'y avais trouvé une lettre. Dans la tourmente de mon adolescence, ces lettres me procuraient la calme assurance qu'on m'aimerait peu importe ce que je ferais, et non *pour* ce que je ferais. Avant de m'endormir ce soir-là, j'ai remercié Dieu d'avoir eu une mère qui savait ce dont un adolescent rebelle comme moi avait besoin. Aujourd'hui, lorsque ma vie est secouée par une tempête, je sais que sous mon oreiller se trouve la calme assurance que l'amour — l'amour constant, éternel, inconditionnel — a le pouvoir de transformer la vie.

Mike Staver

Rêver à la personne que l'on aimerait être, c'est gâcher la personne que l'on est.

Source inconnue

Mère poule

La scène se passe dans un camp scout. Lors d'une inspection, le chef trouve un parapluie soigneusement enroulé à l'intérieur du sac de couchage d'un jeune scout. Comme la liste des objets à apporter au camp n'indiquait pas de parapluie, le chef demande des explications au garçon.

«Monsieur», répond-il en poussant un soupir bruyant, «avez-vous déjà eu une mère?».

Auteur inconnu
Proposée par Glenn Van Ekeren

«Maman, je t'en prie!»

Ma mère a dit...

L'amour d'une mère, c'est le carburant dont l'être humain normal a besoin pour accomplir l'impossible.

Marion C. Garretty

Après avoir décroché un diplôme de West Point et obtenu un grade d'officier dans l'armée des États-Unis d'Amérique, je profitai d'un congé pour passer quelques semaines de l'été à la ferme de mes parents située à Mystic, dans le Connecticut. Un soir, au dîner, je parlai à mes parents de mon désir de m'inscrire l'hiver suivant à l'école des Rangers.

Je leur fis une description de cette école. L'armée y envoie uniquement ses meilleurs soldats et leur fait subir un entraînement très exigeant. Les soldats reçoivent un seul repas par jour, dorment trois ou quatre heures par nuit, et effectuent des patrouilles de 30 kilomètres avec un sac à dos chargé d'effets personnels et d'équipement. Ils apprennent à survivre derrière les lignes ennemies pour y mener des attaques, des embuscades et des missions de reconnaissance. Règle générale, seulement un aspirant Rangers sur trois obtient son diplôme.

Ma mère eut une réaction qui me surprit. Au lieu d'appuyer et d'encourager immédiatement mon projet, elle se montra hésitante. Elle voulut d'abord savoir quels étaient les risques que je sois blessé, puis elle me demanda de lui expliquer encore pourquoi je désirais tant m'inscrire. Ma mère savait que dans le passé, des soldats étaient morts pendant leur entraînement de Ranger.

Je lui expliquai que c'était par choix que j'optais pour l'école des Rangers. Cela n'était ni important ni même essentiel à ma carrière d'officier dans l'armée. Je voulais uniquement savoir si j'en étais capable. Ma mère m'écouta en silence, sans poser d'autres questions. Je savais ce qu'elle ressentait. Ou du moins je croyais savoir.

Peu de temps après cette conversation, je quittai la maison pour aller suivre un cours de base destiné aux ingénieurs-mécaniciens à Fort Leonard Wood, dans le Missouri. Au terme de ce cours, j'allais partir rejoindre une unité de génie basée en Allemagne. Pendant la deuxième semaine de cours, j'assistai à un *briefing* sur l'école des Rangers. À la fin de sa présentation, l'officier responsable nous donna une indication des chances presque nulles que nous avions de devenir un Ranger: sur les 60 sous-lieutenants présents dans la salle, seulement six seraient admis à l'école. Pendant les trois prochains mois, nous allions devoir nous faire concurrence dans six domaines: la forme physique, l'orientation, la confection de nœuds, la natation et les matières académiques. À la fin, les six meilleurs soldats pourraient entrer à l'école des Rangers.

Ce soir-là, je téléphonai à mes parents. «Les chances sont minces que je sois admis à l'école des Rangers», leur dis-je en expliquant que le nombre de candidats était supérieur au nombre de places disponibles. J'étais persuadé que ma mère serait soulagée d'entendre ces explications. Ce ne fut pas le cas. Aux yeux de ma mère, quelque chose de plus redoutable que l'école des Rangers se profilait à l'horizon: mon rêve m'échappait. D'instinct, elle essaya de renverser la vapeur.

«Tu es capable de le faire», me dit-elle. «Je sais à quel point tu veux y aller et je sais que tu iras. Tu réussiras. Et tu obtiendras ton diplôme.» Ces mots chassèrent tous mes doutes et décuplèrent mes forces et ma détermination.

Au cours des trois mois qui suivirent, les 60 «Rangers en herbe» se livrèrent à une compétition intense. J'informai régulièrement mes parents de mes progrès. Ma mère ne cessa de me prodiguer des encouragements. Mes minces chances de réussir la laissaient de glace. Elle répétait sans cesse que j'y arriverais.

Un jour, à la fin du mois d'octobre, je montai à bord d'un autobus qui ramenait notre groupe d'un site d'entraînement. Comme j'étais légèrement en retard, je fus le dernier à monter dans l'autobus. Quelqu'un assis à l'arrière cria: «Hé, Whittle, as-tu entendu la nouvelle?».

Je figeai sur place. Une foule de sous-lieutenants me regardaient. Je sentis que cela n'augurait rien de bon. Et je savais que cela avait quelque chose à voir avec l'école des Rangers. «Quoi?», demandai-je.

«Le commandant a dit que quelqu'un qui s'en va dans un bataillon de génie ne sera jamais admis à l'école des Rangers», reçus-je en guise de réponse. J'étais dévasté. Tous ces efforts en vain!

Je gardai la tête haute devant mes compagnons, qui restèrent silencieux. Tous attendaient de voir ma réaction. La première chose qui me vint à l'esprit furent les paroles de ma mère. Sourire aux lèvres, je leur dis le fond de ma pensée: «Eh bien, j'imagine que le commandant n'a pas encore parlé à *ma mère*, car *ma mère* a dit que *moi*, j'irai à l'*école des Rangers*.» Tous éclatèrent de rire.

La rumeur au sujet de mon commentaire inattendu se répandit comme une traînée de poudre parmi tous les membres du personnel. Une semaine plus tard, le commandant renversa sa propre décision. De toute évidence, il ne voulait pas entrer en conflit avec ma mère...

L'officier responsable annonça les résultats de la compétition. J'étais arrivé au sixième rang. Ma mère avait eu raison. Le 30 novembre 1990, j'entrai à l'école des Rangers et le 19 mars 1991, je reçus mon diplôme.

Robert F. Whittle Jr.

L'effet thérapeutique
des câlins

Une caresse vaut mille mots.

Harold Bloomfield

Quand ma benjamine, Bernadette, avait 10 ans, je commençai à me faire beaucoup de souci pour elle. Les quatre années qui venaient de passer avaient été difficiles pour notre famille. Bernadette avait toujours été particulièrement proche de ses grands-parents, qui l'adoraient. Cette année-là, ils étaient décédés tous les deux, l'un après l'autre en peu de temps.

Perdre de cette façon des êtres chers n'est jamais facile, surtout pour un enfant. Mais cela fut très pénible pour Bernadette, une fillette sensible et aimante. Toujours est-il qu'à l'âge de 10 ans, elle sombra dans ce qu'on pourrait appeler une dépression. Pendant presque une année, ses sourires furent rares. On aurait dit qu'elle se contentait d'exister, point à la ligne. Son exubérance habituelle avait fondu comme neige au soleil.

Je ne savais plus à quel saint me vouer. Bernadette sentait bien que je m'inquiétais pour elle et cela semblait alourdir son fardeau. Un jour, après son départ pour l'école, je m'assis dans un fauteuil pour réfléchir. Dans notre famille, nous étions friands de câlins. Quand j'étais petite, parents, grands-parents, tantes et oncles n'hésitaient jamais à nous prendre avec tendresse dans leurs bras. Encore aujourd'hui, dès qu'un problème me pèse, je m'imagine assise sur les genoux de mon père, nichée au creux de ses bras. «Papa», murmurai-je donc à mon père qui n'était plus. «Que puis-je faire pour aider Bernadette?»

Je faillis éclater de rire lorsque la réponse s'imposa dans mon esprit. Récemment, j'avais lu quelque chose à propos de l'effet thérapeutique des câlins. Se pourrait-il que la «thérapie par les câlins» ait un effet bénéfique sur ma fille?

Comme je n'avais aucune autre solution, je décidai de la serrer dans mes bras le plus souvent possible en m'assurant que mon geste n'ait pas l'air prémédité.

Graduellement, au cours des semaines qui suivirent, Bernadette devint plus joyeuse et plus détendue. Ses sourires se firent plus nombreux — de vrais sourires qui illuminaient ses yeux. Elle travaillait et jouait avec un enthousiasme accru. En quelques mois, mes câlins répétés et sincères chassèrent sa morosité.

Jamais je ne soufflai mot de ma stratégie à Bernadette. Mais de toute évidence, ces câlins étaient devenus importants pour elle. Dès qu'elle se sentait troublée, incertaine ou tout simplement un peu «déprimée», elle me demandait un câlin. De son côté, quand elle me sentait triste ou tendue, elle disait: «On dirait que tu as besoin d'un câlin.» Cette diable d'idée était en train de se transformer en habitude!

Les années passèrent. Les câlins étaient devenus pour nous des gestes de réconfort instantané; jamais je n'aurais pensé qu'ils poseraient problème un jour. Toutefois, à un moment donné durant les mois qui précédèrent son entrée à l'université, Bernadette et moi prîmes conscience que nous allions devoir traverser une période de sevrage: son école était située à plus de 3 000 kilomètres de chez nous!

Nous célébrâmes mon anniversaire de naissance quelques jours avant que Bernadette parte pour l'université. Une semaine avant mon anniversaire, elle m'avait annoncé, excitée, qu'elle avait eu une idée géniale pour mon cadeau. Elle s'était donc livrée à de mystérieuses expéditions dans les magasins et, régulièrement, elle disparaissait dans sa chambre pour travailler sur sa création.

Le jour de mon anniversaire, elle m'offrit un magnifique emballage-cadeau. Elle espérait, me dit-elle un peu nerveusement, que je ne trouve pas son présent idiot.

J'ouvris l'enveloppe qui l'accompagnait et y trouvai une photocopie d'une histoire qu'elle me demanda de lire à voix haute. Cette histoire, intitulée «Le juge d'affection», avait été publiée dans *Un 1er bol de Bouillon de poulet pour l'âme*. Bernadette m'écouta lire l'histoire d'un certain Lee Shapiro, un juge à la retraite qui offre des câlins à quiconque semble en avoir besoin — que ce soit un chauffeur d'autobus tourmenté ou une simple employée victime de harcèlement. Il crée même une «trousse du donneur de câlins» contenant des petits cœurs autocollants qu'il peut offrir à des étrangers en échange d'un câlin. Vers la fin de l'histoire, le juge est mis à l'épreuve lorsqu'un ami l'amène dans un établissement pour invalides où se trouvent des gens en mal de tendresse. À la fin de sa triste tournée dans l'établissement pour invalides, il rencontre un malheureux qui ne peut rien faire d'autre que rester assis et baver. Le juge se force alors à étreindre cet homme délaissé, et celui-ci sourit pour la première fois en 23 ans! L'histoire se termine ainsi: «C'est si simple de faire du bien aux gens qui en ont le plus besoin.»

Profondément émue, je déchirai le papier d'emballage du cadeau. Des larmes coulaient sur mes joues. À l'intérieur se trouvait un grand contenant translucide qui portait le mot «Câlin», écrit avec de la poudre brillante, et qui était rempli d'oreillers miniatures en forme de cœur, cousus à la main.

Bernadette est loin maintenant, mais chaque fois que je regarde son contenant plein de cœurs, c'est comme si elle me serrait dans ses bras.

Certaines familles laissent à leurs descendants la fortune ou la gloire. Moi, cependant, je me rappelle que les câlins de mon père étaient précieux et je suis convaincue que si je suis capable de transmettre aux générations futures ce simple geste d'amour et d'accueil, elles seront comblées.

Loretta Hall

THE FAMILY CIRCUS® *par Bil Keane*

«C'est mon endroit préféré — dans tes bras.»

Histoires d'ail

Chaque fois que je pense à ma mère, je l'imagine dans la cuisine en train de concocter quelque puissant remède. Ma mère ne savait ni lire ni écrire, mais elle avait en elle des centaines d'années de sagesse populaire d'origine ancestrale. Quand nous étions petits, elle croyait que *Mala-ha-muvis*, l'ange de la mort, essayait de nous faucher à coups de maladies infantiles. Elle menait un combat de tous les instants contre le diable. Or, le diable partait perdant contre ma mère et ses potions. Le seul problème, c'est que tous ses remèdes sentaient l'ail!

«Tiens, gargarise-toi avec ça, puis avale.»

«Mais maman, c'est de l'ail et de la cochonnerie! Mon haleine va empester.»

«Et alors? Tu as mal à la gorge. Allez, gargarise! Mala-ha-muvis déteste cette odeur lui aussi.»

Bien entendu, le lendemain, les symptômes avaient disparu. Cela se passait toujours ainsi. Des compresses d'ail broyé contre la fièvre. Des cataplasmes d'ail, de clous de girofle et de poivre contre le rhume ou les rages de dents. Certaines familles sentaient le savon parfumé. Pas nous. Nous sentions toujours l'ail.

Maman accompagnait chaque dose d'antibiotiques maison de chants secrets destinés à chasser le mauvais œil; nous écoutions ces sons mystiques en essayant d'en deviner le sens. Si tout cela semble démesurément superstitieux aujourd'hui, précisons que nous n'étions pas la seule famille du voisinage à verser dans ces excès, chacune avec une touche ethnique différente. Mon copain Ricci, par exemple, avait, cousus dans ses chandails, des sacs de thé remplis d'herbes italiennes «médicinales» —

quel parfum! Quant à mon ami d'origine grecque, Steve, il portait un peu partout sur lui des sacs de tabac "Bull Durham" qu'il appelait «ses amulettes de chance».

Bien avant les miracles de la médecine moderne, chaque membre de notre mosaïque culturelle possédait ses propres remèdes. Essayez d'imaginer une trentaine de grands enfants entassés dans une salle de classe où flotte dans l'air toutes ces odeurs médicinales! Mon Dieu, quel fumet! Cela rendait folle notre institutrice de la fin du secondaire, Miss Harrison. On apercevait souvent ses yeux se brouiller de larmes; je ne saurais dire si c'était à cause de ces odeurs ou par excès de frustration...

«Dites à vos mères d'arrêter de vous frotter avec de l'ail», nous lançait-elle en enfonçant délicatement son nez dans un mouchoir de dentelle. «Je ne peux pas supporter cette odeur! Vous comprenez?»

Apparemment, Miss Harrison ne faisait partie d'aucun groupe ethnique ayant recours à des remèdes folkloriques. De notre côté, nous ne sentions rien de particulier.

Lorsque l'épidémie de polio éclata, toutefois, et que ma mère sortit son arsenal pour combattre Mala-hamuvis, l'odeur de ses nouvelles armes secrètes me devint insupportable, même à moi. Mes frères et sœurs et moi reçûmes chacun trois sacs de toile bourrés d'ail, de camphre et de Dieu-sait-quoi, attachés au bout d'une corde que nous pendions à notre cou. Miss Harrison demanda une trêve à ses élèves qui empestaient et ouvrit un peu plus les fenêtres. Ma mère, elle, sortit victorieuse de ce bras-de-fer avec le diable: aucun de ses enfants n'attrapa la redoutable maladie.

L'artillerie de maman se révéla inefficace une seule fois, lorsque mon frère Harry fut atteint de diphtérie. Cette fois, la cure à l'ail échoua. Ma mère dut donc sortir un autre lapin de son chapeau. Lorsque Harry se mit à avoir de la difficulté à respirer, elle nous demanda soudainement de prier à voix haute pour la vie de *David*.

«Qui est David, maman?», nous demandâmes.

«C'est David qui est couché dans ce lit.»

«Mais non maman! C'est Harry.» Nous pensions qu'elle avait perdu la tête.

Elle nous empoigna et dit en criant: «*C'est David, compris?*». Puis elle expliqua, tout bas: «Nous allons tromper Mala-ha-muvis. S'il croit que c'est David, il laissera Harry tranquille. Parlez très fort lorsque je vous demanderai de le faire.»

Nous écoutâmes attentivement pendant qu'elle parla au diable, l'ange de la mort.

«Mala-ha-muvis», dit-elle, «écoute-moi bien. Tu t'es trompé de petit garçon. C'est David qui est couché dans ce lit. Il n'y a pas de Harry dans cette maison. Va-t-en! Laisse David tranquille. Tu as fait une erreur!»

Elle fit alors un geste en notre direction et nous nous mîmes à crier en chœur. «Mala-ha-muvis, c'est la vérité! C'est la vérité! Nous n'avons pas de frère qui s'appelle Harry. C'est notre frère David. *C'est David, Mala-ha-muvis!*»

Pendant que nous implorions Mala-ha-muvis d'épargner la vie de notre frère, Maman chantait dans un mélange de Yiddish et d'autres langues tirées de son passé. Sans faillir, elle répéta ces chants. Toute la nuit, les trois petites âmes effrayées que nous étions restèrent debout, plaidant auprès de l'ange de la mort un cas d'erreur sur la personne.

David survécut. Vous avez bien lu: j'ai dit *David*. À partir de ce jour, le nom Harry fut effacé à tout jamais de notre petit univers. Superstition? À quoi bon tenter le diable?

Au fil des ans, nous grandîmes, nous quittâmes la maison familiale et nous fîmes nos études. Maman cessa plus ou moins de pratiquer la médecine. Puis un jour, à l'âge de 47 ans, je fis une crise cardiaque. L'infirmière parut vraiment soulagée lorsque ma mère quitta ma chambre d'hôpital au terme de sa première visite à mon chevet.

«Quelle odeur! C'est de l'ail, n'est-ce pas?» De mon côté, évidemment, je ne sentis rien du tout. Lorsque je fouillai sous mon oreiller, cependant, ils étaient là: trois sacs de toile attachés à un cordon et remplis d'ail, de camphre et de Dieu-sait-quoi.

Mike Lipstock

La fée des dents

En tant que parents, nous espérons toujours faire émerger chez nos enfants des traits de caractère qui les aideront à réussir dans la vie. Le jour où notre fille Meegan, l'aînée de nos cinq enfants, perdit sa première dent de lait, nous trouvâmes la minuscule dent enveloppée dans le petit mot suivant:

Cher Fé des den. Silvouplé laisse moi ta baguett magic. Je peu aidé. Je veu être une fé des den moi aussi.

Bisous. Meegan

Reconnaissant un talent potentiel de leader, la «Fée des dents» saisit cette précieuse occasion d'enseigner quelque chose à la petite Meegan et laissa la réponse suivante:

Chère Meegan,

Je n'ai ménagé aucun effort pour être une bonne fée des dents et j'aime mon travail. Malheureusement, comme tu es encore trop jeune pour être une fée des dents, je ne peux te donner ma baguette. Mais il y a certaines choses que tu peux faire pour te préparer à faire ce travail un jour:

1. Donne le meilleur de toi-même dans tout ce que tu entreprends.

2. Traite les autres comme tu aimerais qu'on te traite.

3. Sois aimable et prévenante envers les autres.

4. Écoute toujours avec attention quand on te parle.

Un jour, quand tu seras grande, je t'interviewerai
afin de voir si tu es prête pour ce travail.

Bonne chance Meegan!
La Fée des dents

Meegan fut enthousiasmée par la réponse de la Fée des dents. Elle prit à cœur ce message et suivit fidèlement les consignes en cherchant sans cesse à s'améliorer avec les années. Sa personnalité, sa force de caractère et ses talents de leader se développèrent en même temps qu'elle.

Après avoir obtenu son diplôme universitaire avec mention, Meegan accepta un poste de direction exigeant. Elle y excella à un point tel qu'à l'âge de 27 ans, elle occupait le plus haut poste de direction dans son entreprise.

Un jour que Meegan et moi discutions de sa réussite professionnelle, elle me confia que le président de son entreprise lui avait un jour demandé ce qui l'avait motivée à réussir.

«Que lui as-tu répondu?» demandai-je.

Elle me dit: «Mes parents, mon professeur et mes amis. Et, bien sûr, la Fée des dents!».

Suzanne Moustakas

«C'est la Fée des dents. Elle dit que
si je lui envoie ma dent par courrier express,
elle versera l'argent dans mon compte
de banque par guichet automatique.»

Les petits mots d'amour

À partir du moment où mes enfants entrèrent à l'école, je pris l'habitude de préparer leurs lunchs. Et dans chaque sac à lunch, je glissais un petit mot. Souvent écrit sur une serviette en papier, mon message pouvait être un remerciement pour un moment particulier, un rappel de quelque événement que nous attendions avec bonheur, ou un peu d'encouragement pour un examen ou une compétition sportive.

Lorsqu'ils fréquentaient l'école primaire, mes enfants adoraient ces petits mots; ils en parlaient en revenant de l'école. Et lorsque je retournai à mon travail d'enseignante, ils se mirent eux aussi à glisser des petits mots dans mes propres lunchs. En grandissant, toutefois, mes enfants commencèrent à trouver embarrassants mes petits mots. Ainsi, à l'école secondaire, mon fils aîné, Marc, me laissa savoir qu'il ne voulait plus de mes messages quotidiens. Je lui répondis que j'écrivais ces mots autant pour moi que pour lui, que si lui ne ressentait plus le besoin de les lire, moi j'avais encore besoin de les écrire, et je continuai cette tradition jusqu'au jour où il obtint son diplôme.

Six ans après avoir décroché son diplôme d'études secondaires, Marc me téléphona pour me demander s'il pouvait s'installer à la maison pendant quelques mois. Il avait utilisé à bon escient ces six années pour obtenir un diplôme universitaire avec mention, faire deux stages au Congrès des États-Unis, décrocher la bourse Jesse Marvin Unruh de l'État de la Californie et, finalement, devenir adjoint parlementaire à Sacramento. Comme ses séjours à la maison s'étaient limités à de courtes visites durant ces années et que sa sœur cadette s'apprêtait à nous quitter à son tour pour entrer à l'université, l'idée que Marc s'installe à la maison pour un temps m'enchanta.

Quelques semaines après l'arrivée de Marc, venu pour se reposer, refaire ses forces et écrire, on le sollicita pour travailler à une campagne électorale. Comme je préparais encore quotidiennement les lunchs de son jeune frère encore à la maison, j'en préparai un pour Marc. Imaginez ma surprise lorsque je reçus un coup de fil de mon fils de 24 ans qui se plaignait de son lunch!

«Ai-je fait quelque chose qui t'a déplu? Je suis toujours ton fils, non? Tu ne m'aimes plus?» furent quelques-unes des questions dont il me bombarda avant que je lui demande en riant ce qui n'allait pas.

«Mon petit mot, maman», répondit-il. «Où est mon petit mot?»

Cette année, mon benjamin fera sa dernière année d'études secondaires. Lui aussi m'a déclaré avoir passé l'âge des petits mots dans ses sacs à lunch. Néanmoins, comme ce fut le cas pour son frère et sa sœur aînés, il recevra son petit mot jusqu'au jour où il décrochera son diplôme... sans compter tous ceux que je mettrai dans les lunchs que j'aurai l'occasion de lui préparer par la suite.

Antoinette Kuritz

Sauvés par la ceinture

Comme mère, j'ai eu de la chance. J'ai un fils aimable, intelligent et beau garçon qui a toujours été pour moi une source de bonheur. Au cours des mois qui précédèrent le 16e anniversaire de naissance d'Alan, beaucoup d'enthousiasme et de fébrilité entourèrent le rite de passage qu'il s'apprêtait à vivre: l'obtention de son permis de conduire.

Environ un mois avant son anniversaire de naissance, il y eut une séance d'information à l'école au sujet de la ceinture de sécurité. Un des conférenciers invités, Kathy Hezlep, avait perdu son fils dans un terrible accident de voiture un an auparavant. Lorsqu'on l'avait invitée à participer à la séance d'information, elle avait d'abord hésité. La mort de son fils avait été une épreuve extrêmement pénible pour elle. Elle se sentait souvent impuissante et découragée, sans compter qu'elle n'était pas convaincue de la pertinence de son témoignage.

L'école l'avait finalement persuadée de s'adresser aux élèves. Kathy raconta combien la mort de son fils l'avait affectée. Il y avait des jours où le seul fait de sortir du lit dépassait ses forces. Elle parla du plus profond de son cœur, et ses paroles émurent mon fils. Je revois encore Alan rentrer à la maison ce jour-là et je me rappelle notre discussion à propos de l'accident dont Kathy avait parlé. Cette histoire nous toucha tout particulièrement, car Kathy était chef de famille monoparentale (comme moi) et Ryan était son fils unique (comme Alan).

Toujours est-il que le grand jour arriva. L'État de la Floride, dans sa sagesse infinie, accorda à mon «enfant» le permis de circuler avec une grenade dégoupillée! À ce moment-là, je croyais que la pire chose à vivre pour moi serait de voir mon unique enfant partir *seul* au volant de ma voiture. J'étais dans l'erreur. Il y avait pire encore.

Alan avait son permis de conduire depuis une semaine exactement lorsque je reçus le coup de fil que redoutent tous les parents du monde: des policiers m'informèrent que mon fils avait perdu le contrôle de sa voiture sur une route sinueuse et qu'à cause de son inexpérience, il n'avait pu reprendre la maîtrise de son véhicule. Il avait réussi à éviter un lac et un panneau routier, mais il avait frappé de plein fouet un lampadaire. Dieu merci, s'il avait roulé plus vite et frappé le lampadaire avec plus de force, lui ainsi que ses deux passagers auraient pu être électrocutés.

Lorsque je visitai les lieux de l'accident et que j'aperçus la carcasse de la voiture, je me sentis malade. J'avais peine à croire que trois enfants étaient sortis vivants de ces débris. *Mon fils doit avoir un ange gardien*, songeai-je, et j'avais raison.

Une fois à l'hôpital, je discutai avec Alan de l'accident. Il m'avoua que personne n'avait bouclé sa ceinture de sécurité lorsqu'il avait démarré la voiture. Cependant, le témoignage de Kathy Hezlep, livré avec tant de sincérité et d'éloquence, l'avait si fortement impressionné qu'il avait insisté pour que ses amis attachent leur ceinture avant de partir. C'est ce qui leur avait sauvé la vie.

Ma famille peut se considérer chanceuse. Je n'ai heureusement pas perdu ce que je possède de plus précieux au monde: mon fils. J'éprouve un respect, une admiration et une affection sans borne pour Kathy Hezlep. C'est une femme ordinaire, comme il y en a des millions, une mère qui, en dépit de son irremplaçable perte, a eu le courage de se faire entendre et a permis de sauver trois vies. Pour moi, Kathy est une superstar.

Randee Goldsmith

La journée de l'échec

L'échec n'est qu'un pas en arrière,
et non une défaite.
C'est un détour temporaire,
et non un cul-de-sac.

William Arthur Ward

Quand j'ai besoin d'aide dans mon rôle de mère, je pense à ma mère et à ma grand-mère, des femmes qui ont semé des graines de sagesse dans mon âme, comme dans un jardin secret, qui peuvent fleurir malgré le froid le plus mordant.

Un jour que tout allait mal, je rentrai à la maison et trouvai dans le courrier un avis «sans gants blancs» au sujet d'une facture impayée. Mes trois enfants, eux, étaient à toutes fins pratiques K.-O.

Pour commencer, Tommy, 11 ans, souffrait d'une coupe de cheveux ratée. «Mon institutrice m'a enlevé ma casquette parce qu'elle dit que les hommes doivent enlever leur couvre-chef dans l'école. Toute la journée, on m'a traité de «tête d'œuf» et de «patinoire à poux», me dit-il en essayant de se cacher la tête avec les mains.

Lisa, pour sa part, s'était rendue jusqu'aux finales du concours d'orthographe, mais elle avait été éliminée à cause du mot *craintive*. Moi qui la connaissais bien, l'ironie de la situation ne m'échappa point.

Quant à Jenni, qui commençait son cours primaire, la maîtresse l'avait réprimandée parce qu'elle avait ri pendant l'atelier de lecture, puis ses camarades de classe s'étaient moqués d'elle parce qu'elle avait buté sur un mot en lisant une phrase.

«Eh bien, les enfants! Aujourd'hui, c'est la Journée de l'échec. Il faut célébrer ça!» Les enfants sortirent de leur torpeur et me regardèrent d'un air étonné. «Grand-maman Towse avait l'habitude de dire: "On apprend davantage de ses échecs que de ses succès. Plus un caillou a été érodé par les intempéries, plus il fait de bonds lorsqu'on le lance à la surface de l'eau." Allons manger chez McDonald pour célébrer l'événement!»

Ce jour fut suivi de nombreuses autres célébrations de nos échecs. Nous apprîmes à trouver dans nos déboires des occasions de célébrer plutôt que des raisons de nous lamenter. J'espère avoir semé dans l'âme de mes enfants des graines, puisées à même la sagesse des femmes qui m'ont précédée, qu'ils pourront un jour semer dans leurs propres jardins.

Judith Towse-Roberts

**«On appelle ça un Joyeux Festin
parce que je n'ai pas eu à le préparer.»**

Reproduit avec l'autorisation de Dave Carpenter.

Un visiteur nocturne

J'ai grandi dans un petit village de campagne, à l'époque où le téléphone était encore une merveille et où les automobiles ne servaient à rien puisqu'elles étaient incapables de rouler sur les chemins de terre boueux. C'était avant que la Crise de 1929 devienne un nom propre, avant l'époque où les gens avaient à peine de quoi vivre et devaient compter sur la seule entraide entre voisins. Je me rappelle un soir fatidique.

C'était au début du mois d'octobre. Une nuit de tempête et de noirceur faisait rage dehors. La pluie et le vent fouettaient les carreaux, et le grondement des bourrasques faisait vibrer notre petite maison de bois plantée au fin fond de l'Arkansas. La tempête semblait même faire vaciller la flamme de la lampe au kérosène posée sur la table du salon.

La petite fille de neuf ans que j'étais ne tenait plus en place, convaincue que la maison allait s'effondrer. Mon père était parti dans les États du nord à la recherche de travail, et je me sentais plus vulnérable que je ne voulais bien l'admettre. Toutefois, maman s'affairait, calme et sereine, à réparer ses vêtements qui «supporteraient un autre hiver».

«Oh, maman, tu as besoin de nouveaux vêtements», lui dis-je pour faire la conversation. Un soir comme celui-là, j'avais besoin du réconfort d'une voix paisible.

Elle mit ses bras autour de moi. «Tu as besoin des meilleurs vêtements parce que, toi, tu vas à l'école.»

«Mais tu n'as même pas de manteau d'hiver!»

«Dieu promet de veiller à nos besoins. Il tiendra sa promesse, non pas à notre demande, mais lorsqu'il jugera le moment opportun. Ne t'en fais pas pour moi.»

Je lui enviais sa foi obstinée, son attitude «advienne-que-pourra». Surtout par une nuit pareille. À un moment donné, une bourrasque balaya la cheminée de l'intérieur et éparpilla les morceaux de charbon dans le foyer.

«Peut-on verrouiller les portes ce soir?» demandai-je.

Maman me sourit, puis elle prit la petite pelle pour étendre des cendres sur les charbons ardents. «Edith, on ne peut enfermer la tempête dehors. Et comme tu le sais très bien, nous ne verrouillons jamais nos portes — nos voisins non plus d'ailleurs — surtout par une nuit semblable, car quelqu'un pourrait avoir besoin d'entrer pour échapper à la tempête.»

Elle saisit la lampe et se dirigea vers sa chambre à coucher. Je la suivis en la serrant de près.

Elle me fit entrer, mais avant qu'elle ait eu le temps d'enlever son vieux peignoir rapiécé, la porte d'entrée, dans un brusque fracas, céda au vent qui laissa pénétrer une odeur de pluie et fit virevolter des objets dans le salon. Tout aussi soudainement, la porte se referma.

«Ce bruit, c'était plus que du vent et du tonnerre.» Maman prit la lampe et retourna dans le salon. J'avais peur de la suivre, mais encore plus peur de rester seule.

À première vue, nous n'aperçûmes que le contenu éparpillé du panier à couture de maman. Puis, nos yeux suivirent sur le plancher de bois des traces boueuses qui partaient de la porte et se terminaient au fauteuil qui faisait face au foyer.

Trempé jusqu'aux os et les cheveux ébouriffés, un homme était affalé dans le fauteuil. Vêtu d'un complet sombre couvert de boue, il était de petite taille mais plutôt costaud. Son haleine empestait. Sa main gauche tenait encore une bouteille de bière vide. «Maman, c'est M. Hall!»

Maman hocha à peine de la tête. Avec la petite pelle, elle ramassa le charbon à travers les cendres, le plaça dans le poêle à bois de la cuisine et recouvrit le tout de petits morceaux de pin que nous utilisions comme bois d'allumage le matin. Elle s'adressa à moi: «Je vais faire du café. Toi, occupe-toi du feu pour aider notre invité à se réchauffer et à sécher ses vêtements.»

«Mais maman, il est soûl!»

«Oui, tellement soûl qu'il s'est trompé de maison et se croit rendu chez lui.»

«Mais maman, il habite à un demi-kilomètre d'ici!»

«Jeune fille, M. Hall n'est pas un ivrogne. J'ignore ce qui s'est passé ce soir, mais c'est un homme bien.»

Je savais que chaque lundi matin, quelqu'un venait prendre M. Hall pour le conduire à sa petite boutique de tailleur située à Little Rock, où il travaillait de longues heures toute la semaine. Puis, chaque samedi après-midi, il revenait à la maison d'un pas traînant en s'appuyant sur sa canne.

Comme si elle venait de lire dans mes pensées, maman chuchota: «Il doit se sentir bien seul, parfois.»

Debout dans l'entrée de la cuisine, une vague pensée frappa mon esprit. «Maman, que vont dire les gens quand ils sauront que M. Hall s'est soûlé?»

«Les *gens* ne doivent jamais le savoir. Tu me comprends?»

«Oui, maman.»

Pendant que la tempête faisait encore rage, maman tendit à M. Hall une tasse de café noir brûlant. Elle lui souleva la tête pour l'inciter à avaler le café, une petite gorgée à la fois. La tasse était presque vide lorsqu'il ouvrit les yeux assez grands pour pouvoir nous reconnaître. «M'am Un'wood.»

«Oui, M. Hall. Tout va très bien aller maintenant.»

Quand maman rapporta la tasse dans la cuisine, M. Hall parvint à s'appuyer sur sa canne, à se lever de la courtepointe pliée en deux en travers du fauteuil, puis à retourner en chancelant dans la tempête qui s'essoufflait. Nous l'observâmes marcher d'un pas hésitant vers la barrière d'entrée tandis que les derniers éclairs lui indiquaient le chemin.

«On dirait que notre invité arrivera à se débrouiller maintenant.»

«Maman, pourquoi tu l'appelles notre invité?» demandai-je. «Ce n'est qu'un voisin. Et nous ne l'avons pas invité.»

«Un invité, c'est toute personne qui vient chez nous sans intention hostile. Quant au fait qu'il est notre voisin, te rappelles-tu qui est le voisin dans la parabole du bon samaritain?»

«L'homme qui a aidé l'étranger.»

«Tu vois, en étant notre invité, même sans le vouloir, M. Hall nous a donné l'occasion d'être ses voisins.»

Quelques semaines plus tard, au retour de la messe, nous trouvâmes sur la table un sac de papier brun où était écrit «Mme Underwood».

«C'est probablement le patron d'une robe que voulait me prêter Mme Chiles. Sa fille a à peu près la même taille que toi. Ouvre-le si tu veux», me dit maman qui partit se changer de vêtements.

J'ouvris le sac froissé. «Oh, maman!», m'écriai-je. «C'est un manteau pour toi et il est magnifique!»

Maman vint voir le vêtement que je tenais bien haut. Hésitante, elle me tourna le dos et enfila son bras droit, puis le gauche, dans les manches. En cet instant précis, j'ignorais que j'étais en train d'apprendre ce que signifiait le bon voisinage. Tout ce que je vis, c'est que maman avait sur le dos un manteau qui lui allait à merveille.

Edith Dean

3

LE COURAGE D'UNE MÈRE

Au plus profond de l'hiver,
j'ai finalement compris
qu'en moi subsiste un invincible été.

Albert Camus

Le courage.... c'est supporter sans broncher
ce que le ciel t'envoie.

Euripides

Mon fils Ryan

En tant que mère, ma mission consiste à m'occuper de ce qui est possible et de remettre l'impossible entre les mains de Dieu.

Ruth Bell Graham

Sept années se sont écoulées depuis la mort de mon fils, Ryan White. Ryan était hémophile, et il contracta le SIDA à cause des produits sanguins que les hémophiles doivent prendre pour que leur sang coagule adéquatement. À l'époque, on en savait encore très peu sur le SIDA. Ryan avait seulement 13 ans lorsque les médecins diagnostiquèrent la maladie et nous informèrent qu'avec de la chance, il en aurait pour six mois à vivre.

Ces six mois se transformèrent en six années, et Ryan devint «l'enfant qui donna un visage au SIDA et contribua à sensibiliser la population américaine». C'est ce que déclara le président Clinton le jour où il signa la reconduction du Ryan White CARE Act. Cette loi prévoit des services de soins médicaux et de soutien, des médicaments, des centres de soins et des services de soins à domicile pour les centaines de milliers de personnes atteintes du VIH. Je sais que Ryan serait heureux de savoir que sa vie, et sa mort, ont aidé tant de gens.

Au tout début, la nouvelle que Ryan était atteint d'une maladie mortelle me dévasta totalement. J'étais chef de famille monoparentale, j'avais deux enfants qui étaient toute ma vie et voilà que mon fils, mon premier-né, allait mourir. J'étais certaine de ne pas pouvoir le supporter. Par surcroît, il nous fallait vivre avec l'ignorance, la peur et la haine que suscitait encore le SIDA à cette époque. Ainsi, Ryan voulait retourner en classe, mais l'école refusait de le reprendre, les autres parents craignant que leurs enfants attrapent le SIDA en côtoyant Ryan. Nous dûmes donc lutter pour lui permettre d'aller à l'école et nous triomphâmes, mais l'hostilité et les pressions de nos concitoyens étaient au-dessus de nos forces. Nous décidâmes de déménager dans une autre ville.

À la nouvelle école de Ryan, la situation était complètement différente. Les élèves ne ménagèrent aucun effort pour accueillir mon fils; ils organisèrent des séances d'information sur le SIDA et mirent sur pied des services de consultation afin d'éliminer la peur qui subsistait chez certains élèves. La sensibilisation du grand public au SIDA prit peu à peu toute la place dans la vie de Ryan et se transforma en une sorte de carrière pour lui. Il devint un porte-parole de réputation internationale sur le SIDA; partout à travers le monde, réseaux de télévision, magazines et journaux parlèrent de lui. Tout cela contribua à donner un sens à l'épreuve que traversait notre famille et atténua quelque peu notre douleur.

Nous apprîmes donc à vivre avec le SIDA. Ce qu'il y a d'abominable avec cette maladie, ce sont les graves infections qu'elle occasionne les unes après les autres. Chaque rhume, chaque fièvre pouvait être le début de la fin. Avec le SIDA, impossible de dire si un symptôme est anodin ou sérieux. Le patient est malade, puis il se rétablit, mais aussitôt qu'il se sent mieux, il tombe de nouveau malade.

Ryan était presque toujours de bonne humeur. Même quand il devait séjourner à l'hôpital, il s'efforçait de me sourire lorsque j'entrais dans sa chambre. En revanche, lorsqu'il ne pouvait pas faire quelque chose (par exemple assister à tel spectacle, rencontrer des gens intéressants ou encore faire un voyage) parce qu'il était trop malade ou trop accaparé par ses études, il boudait et avait des sautes d'humeur. Il m'arrivait alors de le gronder. Il prenait aussitôt un air contrit et s'excusait, ou encore il m'écrivait un mot ou m'envoyait une carte.

Face à la maladie, seul un saint est capable de ne pas sombrer dans la morosité. La personne qui s'occupe du malade, elle, ne doit pas prendre ombrage de ces explosions de colère, car celles-ci sont le fait de la maladie qui se propage ou de la médication, et non du cœur aimant et sincère de la victime.

Un jour, Ryan prit ma main, tout simplement, et se mit à la balancer.

«Ryan, ce petit geste de gentillesse me dit que tu as quelque chose à me demander.»

«Mais non. Un fils a bien le droit de prendre la main de sa mère, non?»

«Allez Ryan...»

«Non, vraiment. Je veux te remercier pour tout ce que tu as fait pour moi. Pour être toujours restée auprès de moi comme tu l'as fait.»

Personne ne pourra jamais effacer ces mots de mon cœur. Personne ne pourra jamais m'enlever ce que je ressentis ce jour-là en tant que mère.

Un jour, quelqu'un me posa la question suivante: «Jeanne, comment arrives-tu à passer au travers de tes journées en sachant que ton fils va mourir?»

À cela je répondis: «Nous ne pensons jamais à la mort. Nous n'avons pas le temps d'y penser. Si nous lui entrouvrons la porte, elle va nous dévorer. Il faut aller de l'avant et profiter au maximum de chaque heure et de chaque jour.»

Arriva finalement le moment où le corps de Ryan refusa de suivre. Lorsqu'il était mourant, le personnel de l'hôpital dut penser que nous avions perdu la tête: voilà un enfant dans le coma et maintenu artificiellement en vie dont la mère à moitié folle l'appelle par son nom et lui parle. Il ne pouvait probablement plus rien entendre, mais nous lui faisions jouer de la musique. Il ne pouvait plus rien voir, mais nous étions debout sur des chaises à accrocher des affiches et des bannières décoratives sur les murs, juste au-dessus des écrans, des câbles et des moniteurs qui clignotaient. Nous refusions de l'abandonner.

J'étais là, les yeux posés sur le petit corps frêle de Ryan, et je savais qu'il n'y avait plus rien à faire. Avant de plonger définitivement dans l'inconscience, Ryan m'avait confié: «Maman, si tu crois qu'il me reste une chance, fonce.» C'est ce que nous fîmes. Jusqu'à la dernière seconde, nous essayâmes tout ce qui était humainement possible de faire.

À un moment donné, je me penchai tout près de lui et lui murmurai: «Tout va bien aller, mon fils. Tu peux partir.»

Et il mourut. On le ranima pendant quelques minutes, mais je savais que la mort viendrait aussitôt le reprendre. Je savais que tout était fini. Néanmoins, la décision d'accepter la défaite suscitait une tristesse inexprimable pour moi et ma famille.

«Si tu le désires, tu peux leur dire d'arrêter», me dit un ami proche. «C'est à toi de décider.»

Je parlai à mes parents et à la sœur de Ryan, Andrea. Puis je dis aux médecins. «On arrête.»

Le Dr Marty Kleiman, qui avait pris soin de Ryan depuis le tout début et qui l'avait aidé à vivre presque six ans alors que d'autres médecins ne lui donnaient que six ans alors que d'autres médecins ne lui donnaient que six mois, sortit et annonça que mon petit garçon venait de s'éteindre paisiblement dans son sommeil.

L'étincelle s'était éteinte.

Aujourd'hui, sept ans plus tard, l'étincelle se rallume peu à peu. Présentement, mon état d'esprit ressemble à l'aube d'un nouveau jour. Je regarde la vie avec optimisme. Je suis mariée et heureuse de l'être. Mon nouveau mari, Roy, a remis de la joie dans mon existence. Quant à ma fille Andrea, elle a grandi et est devenue une femme forte, belle et intelligente. J'anticipe tout ce que la vie a en réserve pour nous: aventures, voyages, petits-enfants.

À l'horizon, juste derrière un sombre nuage, je suis convaincue d'entrevoir la fin de l'épidémie du SIDA. Chaque jour, des victimes qui semblaient condamnées recouvrent une nouvelle santé. Le remède au SIDA s'en vient. Il est à nos portes. Je sens que j'en serai témoin de mon vivant. Que pourrait-il m'arriver de plus beau que cette attente confiante?

C'est le jardinage qui m'a servi de thérapie. Là, parmi les fleurs et les fruits colorés, lorsque la lumière est neuve, que tout est frais et humide, que la rosée perle sur les feuilles, je travaille avec la nature et me sens ressourcée. Il me semble que chaque mauvaise herbe arrachée est une parcelle de chagrin qui me quitte, une larme que j'essuie pour faire place à la joie de vivre.

Je vois dans les fleurs les visages de tous ceux que j'ai perdus; je vois le visage de mon fils. Elles sont magnifiques en ce nouveau jour, accueillantes comme un sourire et rayonnantes d'espoir.

Merci, mon Dieu, pour ce nouveau jour.

Jeanne White

Tu vas bien, maman?

J'étais plongée dans mes pensées, travaillant sur un important rapport, lorsque le téléphone sonna. *Pourquoi maintenant?*, pensai-je, frustrée, en décrochant le combiné. C'était la gardienne de mon fils de deux ans qui m'informa que celui-ci ne se sentait pas bien. «Jordan ne se comporte pas comme d'habitude», précisa-t-elle. «Il n'a pas de fièvre, mais il est très amorphe.»

Pendant le long trajet qui me ramena à la maison, je me calmai et me concentrai sur Jordan. Je me rappelai combien j'avais été surprise lorsqu'on m'avait annoncé que j'étais enceinte. En vieillissant, j'étais persuadée que je n'aurais jamais d'enfant. Toutefois, j'ignorais à l'époque que je tomberais amoureuse d'un homme seul qui avait deux petites filles.

Après cinq années de mariage, j'en étais venue à aimer beaucoup mon statut de belle-mère. Ce rôle me convenait à merveille, et c'était en grande partie grâce aux deux filles de mon mari. Je me rappelle m'être inquiétée de leur réaction à l'annonce du nouveau bébé, surtout que les filles avaient enfin trouvé la stabilité dont elles avaient besoin.

Dans la voiture, le souvenir de leur réponse me fit éclater de rire. Les filles m'avaient amenée dans la salle de bains, loin de leur père, pour me révéler leur seule inquiétude: «Est-ce que cela veut dire que papa et toi, vous avez couché ensemble?»

Sept mois plus tard, après 22 heures de travail, nous avions enfin pu contempler Jordan pour la première fois. Avec un nom de famille comme Perez, nous ne nous attendions pas à nous retrouver avec un petit rouquin, mais c'est ce qu'il était. Un magnifique bébé en santé dont les yeux très foncés étaient presque noirs.

«Il fait maintenant partie de la famille», avait déclaré Val, notre fille aînée, en admirant tendrement son nouveau petit frère. «Il fait de nous une vraie famille.»

Ma rêverie se termina abruptement lorsque je garai la voiture dans l'entrée et que j'entrai en courant dans la maison. Jordan dormait, mais il respirait difficilement et il était trempé de sueur. Je le pris dans mes bras, me rendis à ma voiture, l'attachai dans son siège d'auto et me dirigeai vers le bureau du médecin.

En conduisant, je surveillai autant Jordan que la route. La gardienne avait raison, son comportement était inhabituel. Il était maintenant éveillé et me regardait avec des yeux tristes et fatigués.

Quelques pâtés de maisons avant d'arriver chez le médecin, je me tournai de nouveau pour regarder Jordan. J'aperçus alors ses lèvres trembler, lentement au début, puis de plus en plus rapidement. Peu après, horrifiée, je vis de l'écume sortir de sa bouche. Son corps tout entier trembla de manière incontrôlable, et ses yeux se révulsèrent. Puis, les convulsions cessèrent aussi rapidement qu'elles étaient venues, et Jordan s'affaissa dans son siège.

Prise de panique, je brûlai deux feux rouges et entrai en trombe dans le stationnement de la clinique. Lorsque je sortis Jordan de la voiture, son corps était complètement flasque.

«Ça ne va vraiment pas!» hurlai-je en entrant dans l'édifice. Le médecin, alerté par mes cris, vint à ma rencontre dans la salle d'attente et prit Jordan dans ses bras. Il palpa le pouls de Jordan, demanda à l'infirmière d'appeler une ambulance et commença des manœuvres de réanimation. Une autre infirmière resta auprès de moi pendant que j'observai, impuissante, les efforts de réanimation du médecin.

«Allez, mon petit!» implora quelqu'un. «Reviens!»

«Je n'obtiens pas la ligne!» cria une autre voix.

Je ne pouvais croire ce qui était en train d'arriver. J'étais confuse et terrifiée à l'idée de perdre mon petit garçon. Je voulais être auprès de Jordan. Je voulais lui prendre la main, lui embrasser la joue et lui dire que tout allait bien se passer. J'avais peur. Je me sentais si impuissante.

Lorsque les ambulanciers arrivèrent, Jordan ne respirait toujours pas. Ils s'acharnèrent sur lui pendant plusieurs minutes, puis l'installèrent en toute hâte sur une civière.

«Nous l'avons branché sur l'appareil de survie», m'expliqua un ambulancier pendant qu'il me conduisait à l'ambulance. «Votre fils est incapable de respirer par lui-même en ce moment, l'appareil va donc le faire à sa place.»

Mon mari vint me retrouver dans une salle d'attente privée de l'hôpital. Lorsqu'il s'assit à mes pieds et se mit à sangloter sur mes genoux, je pris conscience que jamais je ne l'avais vu pleurer avant. Une infirmière entra dans la salle et nous demanda avec douceur si nous désirions appeler notre pasteur. «Non!», cria mon mari, fou d'angoisse. «Il va s'en sortir!»

Une heure plus tard, on nous accorda finalement la permission de voir Jordan. Mon invincible garçon semblait si petit et si fragile, branché à une multitude de tubes et toujours secoué de tremblements. Les convulsions avaient recommencé immédiatement après sa réanimation.

Le médecin de la salle d'urgence ne cachait pas sa frustration: «Tout ce que je peux vous dire, c'est que Jordan est un petit garçon très malade», nous dit-il. «Nous lui avons administré la dose maximale de phénobarbital, mais il convulse toujours.»

Après une autre heure interminable, on stabilisa Jordan et on le transféra dans un hôpital pour enfants. Il était toujours branché à l'appareil de survie, mais les convulsions avaient finalement cessé.

La scanographie ne montra rien d'anormal. La ponction lombaire donna des résultats normaux elle aussi. Les graves convulsions de Jordan restaient inexpliquées, et on ne savait pas encore si le manque d'oxygène avait causé des dommages à son cerveau.

Mon mari et moi pûmes demeurer auprès de Jordan à l'unité de soins intensifs. Je lui tins la main, l'embrassai sur la joue et lui répétai que tout allait bien se passer. Tard dans la soirée, pendant que notre pasteur et des membres de la famille priaient dans la salle d'attente, Jordan expulsa son tube d'oxygène en toussant et respira de lui-même pour la première fois depuis le début des convulsions.

Le lendemain matin, lorsque Jordan ouvrit enfin les yeux, mon mari et moi ne savions pas à quoi nous attendre. Il subsistait toujours la possibilité de lésions au cerveau, mais nous étions convaincus de pouvoir tout affronter. La possibilité de perdre Jordan était la seule qui nous était intolérable.

Toujours sous l'effet des médicaments, Jordan cligna des yeux. Je savais que s'il parvenait à nous reconnaître, tout irait bien. Lentement, son regard se posa sur nous. Lorsqu'il nous vit, il murmura faiblement: «Maman, papa...» J'éclatai alors en sanglots.

Me voyant en larmes, Jordan me demanda d'une voix vacillante: «Tu vas bien, maman?»

Son inquiétude me bouleversa. Après avoir passé les 24 dernières heures à lutter pour sa vie, mon petit chéri de deux ans se préoccupait de *moi*.

«Oh oui, mon chéri», répondis-je en lui caressant tendrement la joue. «Je vais même très bien.»

Six mois ont passé depuis ce jour, et Jordan s'est complètement rétabli. J'ai cessé de dormir sur le plancher de sa chambre à coucher et je ne ressens plus le besoin de surveiller chacun de ses mouvements. Nous n'avons jamais su la cause de ses convulsions. Elles ont peut-être été provoquées par une infection virale, ou alors par un brusque changement de sa température corporelle. À cause de cette incertitude, Jordan devra prendre des anticonvulsivants pendant au moins les deux prochaines années.

Hier soir, j'ai observé Jordan pendant qu'il jouait au soccer avec ses sœurs et son père dans la cour arrière et j'ai repensé, comme il m'arrive souvent de le faire, que nous avions failli le perdre. Le ballon a roulé vers moi et Jordan a couru après. Quand je lui ai redonné le ballon, Jordan a vu les larmes dans mes yeux. Il a posé sa petite main sur mon genou et m'a demandé: «Tu vas bien, maman?»

«Oh oui, mon chéri», lui ai-je répondu en souriant et en le serrant très fort dans mes bras. «Je vais même très bien.»

Christine Perez

Assez d'amour pour déplacer les montagnes

Il était une fois, dans les Andes, deux tribus qui étaient en guerre; l'une vivait dans les plaines et l'autre au sommet des montagnes. Un jour, la tribu des montagnes envahit les plaines. Pour ajouter au butin qu'elle voulait rapporter, on kidnappa le bébé d'une famille de la tribu des plaines et l'amena dans les montagnes.

La tribu des plaines ignorait comment escalader les montagnes. Elle ne connaissait aucun des sentiers qu'empruntait la tribu des montagnes, pas plus qu'elle ne savait où se trouvait cette tribu ni comment repérer ses traces sur les terrains escarpés.

Malgré cela, la tribu des plaines envoya ses meilleurs hommes pour escalader les montagnes et ramener le bébé.

Les hommes essayèrent d'abord une technique d'escalade, puis une autre. Ils s'aventurèrent dans un sentier, puis dans un autre. Après plusieurs jours d'efforts, ils n'avaient réussi à gravir que quelques dizaines de mètres.

Désespérés et impuissants, les hommes des plaines conclurent que c'était peine perdue et décidèrent de rebrousser chemin.

Alors qu'ils préparaient leur équipement pour la descente, ils aperçurent la mère du bébé kidnappé marcher en leur direction. Ils comprirent qu'elle redescendait la montagne qu'eux-mêmes avaient été incapables de gravir.

Puis ils virent le bébé sanglé sur son dos. *Comment cela se pouvait-il?*

Un des hommes alla à sa rencontre et lui dit: «Nous avons été incapables d'escalader cette montagne. Comment as-tu réussi là où nous, les hommes les plus forts et les plus valeureux du village, avons échoué?»

Elle haussa les épaules et répondit: «Ce n'était pas votre bébé.»

Jim Stovall
Bits & Pieces

Le cœur sans frontière

Sous le chaud soleil indien, notre train approchait bruyamment de Nagpur, une ville du sud de l'Inde. C'était le jour de l'Action de grâce; à mes côtés se trouvaient mon mari et mes deux fils adoptifs originaires de l'Inde. Nous nous rendions à Nagpur afin de rencontrer la petite fille que nous allions adopter pour compléter notre famille. Malheureusement, comme l'adoption étrangère est un processus très long, nous n'allions pas pouvoir ramener notre fille aux États-Unis. On nous avait toutefois accordé une visite de quelques heures.

Trois ans plus tôt, j'avais quitté le Maryland pour venir en Inde et établir une seconde résidence dans la ville de Hyderabad, près de l'orphelinat où j'avais adopté mes fils. Maintenant, j'habitais encore temporairement Hyderabad et mon mari était venu me rejoindre pour quelques jours; la société pour laquelle il travaillait dans le Maryland appuyait nos efforts pour adopter cette petite fille et lui avait accordé un congé. La durée de mon séjour allait dépendre du très lent tribunal d'adoption de l'Inde, une institution qui échappait complètement à notre contrôle. Je me consolais toutefois en me disant qu'au moins pendant quelques heures ce jour-là, nous formerions une famille.

Peu après le lunch, nous prîmes un pousse-pousse pour parcourir les derniers kilomètres qui nous séparaient de l'orphelinat surpeuplé où nous fûmes accueillis par une centaine d'enfants avides de plaire, chacun espérant que notre choix se porte sur lui. Cet accueil me brisa le cœur. Pourtant, le personnel semblait s'occuper correctement des enfants et les lieux physiques, quoique modestes, étaient acceptables.

Nous attendîmes, tenant difficilement en place sur nos chaises, jusqu'à ce qu'on nous amène une fillette toute menue. Immédiatement, je reconnus l'enfant que je demandais dans mes prières depuis presque un an. Ghita, notre fille! Débordants de joie, nous la prîmes dans nos bras et l'embrassâmes, nouant en cet instant un lien qui durerait toute une vie.

Ghita ne parlait pas notre langue, mais cela n'avait aucune espèce d'importance. Elle était notre fille, et notre famille allait enfin être complète. Nous mangeâmes de la crème glacée et regardâmes un album de photos. Nous dûmes ensuite partir, échangeant des sourires teintés de tristesse mais sachant que, dans un mois, nous serions réunis pour de bon.

Mon mari retourna à son travail aux États-Unis. De mon côté, je m'installai avec mes deux fils à Hyderabad, soit à plus de 500 kilomètres de l'orphelinat de Nagpur, où j'attendis nerveusement les papiers confirmant l'adoption de Ghita. Souvent, je me réveillais au beau milieu de la nuit, imaginant que je la tenais dans mes bras et que je la protégeais de quelque danger dans l'orphelinat bondé. Elle était si frêle, si innocente.

Un jour, enfin, on m'informa que je pouvais me rendre immédiatement à Nagpur pour prendre la garde de ma fille. Sans perdre un instant, je réservai une place dans un avion, histoire d'être de retour dans la même journée et de ne pas laisser mes fils seuls trop longtemps. Puis l'incident survint: les musulmans venaient de bombarder le temple hindou de Ayodhya situé plus au nord. Même si nous étions à des centaines de kilomètres de là, Hyderabad était une ville majoritairement musulmane. Tous les vols furent donc annulés par crainte d'attentats terroristes, et on imposa le couvre-feu dans toute la ville.

Nullement intimidée, je décidai de me rendre à Nagpur en train et demandai à des amis de veiller sur mes fils pendant mon absence. Toutefois, le chauffeur qui était à notre service, lui-même un fervent musulman, me déconseilla de partir. «Madame, vous ne reviendrez pas vivante!» Il m'expliqua qu'une Américaine voyageant seule serait une cible facile à la violence gratuite. Mes amis hindous me dirent la même chose et m'implorèrent de renoncer à mon projet.

Puis, j'eus l'idée de me rendre à Nagpur en voiture. Après tout, me dis-je, mon chauffeur était musulman et je savais que je pouvais lui faire confiance. Il nous avait même aidés à nous procurer de la nourriture pendant le couvre-feu, ce qui nous avait permis, les enfants et moi, de rester en sécurité à la maison. Mais cette fois encore, le chauffeur tenta de m'en dissuader. «Madame, dit-il, que pourrais-je faire, moi un seul homme, contre une bande de brigands? Faites preuve de prudence et restez à la maison!» Comme je ne devais pas perdre de vue les responsabilités que j'avais déjà envers mes deux fils, je capitulai devant la réalité et, tristement, me résignai à attendre.

Les jours se transformèrent en semaines, puis les semaines en mois; chaque jour, je priais pour ma petite fille restée à l'orphelinat. *Que pensait-elle de tout cela? Lui avait-on expliqué pourquoi je n'étais pas venue?* De leur côté, mes fils devinrent de plus en plus agités et turbulents. J'avais désespérément besoin d'aide, mais mon mari et mes amis se trouvaient à des dizaines de milliers de kilomètres de distance! La situation devint de plus en plus pénible, mais je me rendis compte alors que je devais l'affronter seule, en ne comptant que sur mes propres forces. *Reste calme. Essaie d'agir normalement. Mon Dieu, donne-moi la force dont j'ai besoin pour traverser cette épreuve.*

Peu à peu, la tension entre musulmans et hindous se résorba, on leva le couvre-feu, et la vie dans la ville revint à la normale. Nous étions rendus en mars; quatre mois s'étaient écoulés depuis ce jour d'Action de grâce ensoleillé où nous avions rencontré Ghita. Mon mari vint de nouveau nous rejoindre, et je sentis que je venais de passer une épreuve importante. Je pouvais maintenant respirer librement. J'avais le cœur plus léger, prêt à accueillir Ghita.

Le grand jour arriva enfin: les vols à destination de Nagpur avaient repris. Nous passâmes à l'action sur-le-champ et quelques heures plus tard, nous avions en main des billets pour le vol du lendemain.

Le pousse-pousse qui nous emmenait à l'orphelinat semblait avancer au ralenti. Je ne tenais plus en place. Puis, enfin, le moment tant attendu arriva. Parmi les nombreux visages avides de plaire qui nous accueillirent, j'en vis un seul — un petit visage rayonnant qui s'avança et me dit: «Maman!» C'était son tout premier mot dans notre langue; lorsqu'elle le prononça, ses yeux étaient ouverts aussi grands que l'univers et contenaient assez d'amour pour nourrir toute une vie.

Amsheva Miller

Bienvenue en Hollande

On me demande souvent de décrire mon expérience comme mère d'un enfant handicapé, afin de permettre à ceux qui n'ont pas vécu cette expérience unique de la comprendre et d'imaginer comment on se sent. Eh bien, voici à quoi cela ressemble.

Une grossesse, c'est comme planifier un fabuleux voyage en Italie. On achète un tas de guides et on élabore de magnifiques plans. Le Colisée. Le *David* de Michel-Ange. Les gondoles de Venise. On apprend quelques rudiments d'italien. On attend avec impatience.

Après des mois d'attente, le jour J arrive. On boucle ses valises et on part. Quelques heures plus tard, l'avion se pose. L'agent de bord se lève et dit: «Bienvenue en Hollande.»

«En Hollande? Comment ça en Hollande??? J'ai acheté un billet pour l'Italie! Je suis censée être en Italie! Toute ma vie j'ai rêvé de visiter l'Italie!»

Or, il y a eu des changements dans le plan de vol. L'avion s'est posé en Hollande et c'est là qu'on doit rester.

La chose importante à comprendre, c'est qu'on ne se retrouve pas dans un endroit horrible, dégoûtant et sale où règnent la peste, la famine et la maladie. C'est juste un endroit différent.

On doit donc sortir et acheter de nouveaux guides de voyage. On doit aussi apprendre une nouvelle langue, sans compter qu'on rencontrera de nouvelles personnes qu'on n'aurait jamais rencontrées autrement.

C'est seulement un endroit *différent*. Le rythme est plus lent et moins flamboyant qu'en Italie. Lorsqu'on y a séjourné un certain temps et qu'on a pu reprendre son souffle, on regarde autour de soi... et on remarque pour la première fois que la Hollande a des moulins à vent et des tulipes. La Hollande a même des Rembrandt.

Pendant ce temps, tous ceux qu'on connaît sont occupés à visiter l'Italie... et à vanter les merveilles de ce pays. Pour le reste de ses jours, on est contraint de dire: «Oui, j'étais censée y aller. C'est le voyage que j'avais planifié.»

Et le chagrin suscité par ces mots ne disparaîtra jamais, jamais, jamais... car la perte de ce rêve est une perte trop immense.

Cependant, si on passe sa vie à pleurer ce voyage manqué en Italie, on se prive de profiter pleinement de toutes les beautés uniques... de la Hollande.

Emily Perl Kingsley

Chaque matin est une bénédiction

Je ne peux chasser de mon esprit le souvenir de cette soirée où tout commença. Je me vois encore assise à table, levant mon verre à la santé de ma fille et de son fiancé.

J'étais entourée de ma famille et de mes amis, tous souriants sous la lueur des chandelles. Mon mari se pencha vers moi et m'embrassa.

Ces heures joyeuses furent les dernières avant que s'installe la peur, car au cours de la nuit qui suivit, alors que j'étais couchée dans mon lit, ma vie se transforma à jamais.

Cela faisait bien quelques semaines que j'avais des malaises, mais j'avais cru que c'était un simple mal de dos. Lorsque je me réveillai au beau milieu de la nuit, cette fois-là avec la sensation d'un poids sur ma poitrine, je savais que c'était mon cœur. «Amène-moi à l'hôpital», dis-je, à bout de souffle, à Steve.

«Tout ira bien», ne cessa-t-il de me répéter. *Il a si peur*, songeais-je. *Mon Dieu, moi aussi j'ai peur.*

Une fois à l'hôpital, je me rappelai avec tristesse un autre hôpital où, des années auparavant (j'avais alors 10 ans), j'étais venue au chevet de mon père après sa première crise cardiaque. Ma mère n'était plus parmi nous, car elle était décédée quelques années avant en donnant naissance à ma sœur. Mon père représentait donc tout pour moi. Puis, deux ans après sa première crise cardiaque, alors que j'avais 12 ans, mon père avait été terrassé par une seconde crise, fatale. Comme cela s'était passé à son travail, je n'avais pas eu la chance de lui dire au revoir. Le chagrin que je ressentis était comme un tunnel sans fin.

Maintenant, c'était moi qui étais admise à l'hôpital. *Mon Dieu, je vous en supplie*, priai-je, *je ne veux pas mourir avant d'avoir fait mes adieux à mes enfants. Jeffrey a seulement 13 ans, et Jason 15 — il est en train de devenir un jeune homme — et Tricia qui est à la veille de se marier! Elle a besoin de moi.*

Steve partit chercher les enfants tandis qu'on me faisait subir un angiogramme pour déterminer quelles artères étaient bloquées. «Trois des quatre artères principales sont bloquées», m'indiquèrent les médecins.

«Mais j'ai à peine 39 ans!», sanglotai-je.

Mon médecin m'expliqua que cette maladie cardiaque était un héritage de mon père. «Vous avez besoin d'un pontage coronarien, dit-il, mais les dommages à votre cœur sont tels que toute intervention risque de...»

De me tuer. Je tressaillis. Je ne craignais pas la mort, mais j'étais terrifiée à l'idée de faire vivre à mes enfants le chagrin que j'avais eu dans mon enfance.

«Je vais peut-être mourir...», annonçai-je à mes enfants qui, comme moi, pleurèrent.

Dans les jours qui précédèrent l'intervention chirurgicale, Steve me rendit visite le plus souvent qu'il put, essayant de sourire. Je lisais cependant la peur dans ses yeux.

Steve et moi étions mariés depuis seulement un an. «Nous nous sommes trouvés l'un l'autre. Il nous reste tant de choses à vivre ensemble», murmura-t-il. J'acquiesçai, la nostalgie dans l'âme.

Tricia parla des fleurs pour son mariage. Je souriais. Jeffrey et Jason, eux, me parlèrent de l'école.

«Quand tu reviendras à la maison...» disaient-ils. Ils essayaient de se montrer courageux. Mais nous étions tous morts de peur.

Le matin de ma chirurgie, j'observai le soleil se lever sur le lac. J'aperçus un voilier glisser sur l'horizon et j'essayai d'imaginer le sentiment de paix qu'on pouvait ressentir en naviguant. Plus l'intervention approchait, cependant, plus ce sentiment cédait à la terreur. Après avoir embrassé Steve et les joues mouillées de larmes des enfants, j'éprouvai une furieuse envie de vivre.

Mon Dieu, priai-je avant qu'on m'anesthésie, *si tu me laisses vivre de façon que je voie mes enfants devenir grands, je ne gaspillerai pas une seule minute...*

Lorsque que je me réveillai, l'intervention était terminée et je tenais la main de Steve tout en regardant mes enfants. *Comme sa caresse est douce, comme leurs sourires sont magnifiques. J'ai maintenant tout le temps devant moi pour en profiter,* pensai-je.

Malheureusement, deux jours plus tard, mon médecin m'expliqua que mes artères risquaient fort de se bloquer de nouveau et que mon cœur ne pourrait pas supporter une autre opération.

«L'intervention vous donnera peut-être six autres années de vie», dit-il. «Je suis désolé.» *Six ans! À peine le temps de cligner des yeux!* Ma gorge se serra et je respirai avec difficulté.

C'est alors que je me rappelai: ces six années correspondaient à ce que j'avais demandé en prière. Mon benjamin aurait alors 18 ans — il serait un adulte — et j'aurais du temps à passer avec Steve. Oui, Dieu remplissait sa partie du contrat. Je fis le serment de remplir la mienne; je profiterais au maximum de chaque minute de mon existence.

Je profitai donc de la vie. J'admirai ma fille descendre l'allée de l'église; je conseillai mes fils lors de leurs premières amours; je passai des week-ends d'amoureux avec Steve; je cuisinai des gâteaux d'anniversaire.

Chaque moment de ma vie, que ce soit lorsque je disais bonjour au facteur ou que je berçais mes petits-enfants, était magique.

Puis, à l'approche de ma sixième année de survie, la douleur réapparut. «Nous ne pouvons rien faire d'autre», déclarèrent les médecins. Alors cette peur familière s'empara à nouveau de moi. Une fois, Jeffrey posa sa tête sur ma poitrine et pleura. Une autre fois, Tricia me dit en larmes: «Maman, j'ai besoin de toi! Mes enfants ont besoin de leur grand-mère!»

«Je serai là aussi longtemps que je le pourrai», leur dis-je pour les rassurer. Pourquoi avais-je imaginé que ma famille serait plus prête à me dire adieu maintenant? Six ans, 10... ou 20! Est-ce jamais assez?

Bev, lutte pour ta vie! hurlais-je intérieurement. Je commençai donc à lire des livres sur l'alimentation et sur la pensée positive. *Je vivrai!*, me jurais-je.

Peut-être est-ce un cadeau de Dieu? Peut-être est-ce ma seule force intérieure? Toujours est-il qu'aujourd'hui, deux ans plus tard, je me sens bien comme jamais je n'avais osé l'espérer.

Je continue de chérir chaque nouveau jour qui se lève. Et lorsque le soir je me blottis tout contre Steve, je rends grâce pour toutes les choses simples ou merveilleuses — ou même frustrantes — qui sont survenues dans la journée.

Je sais qu'un jour le soleil se lèvera sans moi. Certes, mon cœur est triste à la pensée que je manquerai peut-être la révérence que fera ma petite-fille à la fin de sa première pièce de théâtre à l'école, ou le premier coup sûr de son petit frère lors d'un match de baseball. Mais je sais que Dieu m'a déjà donné plus que je ne l'espérais. Et j'ai appris à apprécier la vie dans ses moindres moments.

Bev Shortt
avec la collaboration de Deborah Bebb

Le combat d'une mère pour un enfant différent

Aucune langue ne peut exprimer la puissance, la beauté et l'héroïsme de l'amour maternel.

Edwin H. Chapin

Frank et Lee se marièrent en 1948 après avoir servi l'église catholique, lui comme séminariste, elle comme religieuse. Quand ils fondèrent leur famille, Lee décida qu'elle voulait six enfants. Le premier naquit en 1951, et les cinq autres arrivèrent au cours des onze années qui suivirent. Toutefois, après la naissance de son cinquième enfant, prénommé Tom, Lee en vint à douter de sa capacité de s'occuper d'un sixième.

À six mois, Tom était incapable de manger de la purée et de tenir sa tête droite. Lee sentait que tout le développement de son enfant était lent. Elle l'emmena donc chez le pédiatre, qui l'assura qu'elle s'inquiétait pour rien.

«Beaucoup de bébés ont de la difficulté à manger de la purée à la cuillère», expliqua-t-il. «C'est tout à fait normal.»

«Je pense savoir ce qui est normal et ce qui ne l'est pas», répliqua-t-elle. «J'ai quatre autres enfants. Et je sais qu'il y a quelque chose qui cloche chez Tom.»

Elle consulta donc un autre médecin qui lui conseilla de laisser passer une année pour voir comment les choses évolueraient. Lee attendit et observa.

Au cours de l'année qui suivit, Tom parvint à tenir sa tête, mais plusieurs autres aspects de son développement se détériorèrent. Il refusait souvent de manger, ou alors il ne mangeait que de la courge, au point où sa peau prenait une coloration orange. Ce sont toutefois ses brusques crises de colère qui inquiétaient le plus. Il agressait ses frères et sœurs lorsque ceux-ci regardaient la télévision, ou alors il profitait du fait que Lee était au volant de sa voiture pour la frapper dans le dos depuis la banquette arrière. Lee savait que les crises de colère étaient fréquentes à cet âge, mais l'intensité des crises de Tom la préoccupait.

Quand Tom eut un an et demi, Lee refit la tournée des médecins et des spécialistes. Cette fois, aucun n'affirma que Tom était normal. Un des médecins consultés diagnostiqua une phénylcétonurie (aussi appelée syndrome de Folling), un trouble métabolique qui peut causer l'arriération mentale. Un autre médecin affirma que ce n'était pas la phénylcétonurie qui était en cause, mais des lésions cérébrales dues à un manque d'oxygène à la naissance. Au terme d'une année de consultations diverses, on dit à Lee que Tom ne pourrait jamais vivre une vie normale et qu'il devrait être placé en institution.

Cette nouvelle horrifia Lee. Comment pouvait-on lui demander de placer son bébé d'à peine trois ans dans une institution où ses chances de grandir en santé seraient à jamais hypothéquées? Lorsque Lee et Frank visitèrent l'institution que les médecins leur avaient recommandée, tous les enfants qu'elle croisa souffraient d'un retard mental profond et beaucoup étaient incapables de communiquer. Tom avait des problèmes, il est vrai, se dit Lee, mais cette institution n'était pas la solution.

Puis, une infirmière en visite à domicile parla à Lee d'un d'hôpital situé à Ann Arbor où on pourrait peut-être aider Tom. Lee s'y rendit. Les médecins et les psychiatres de cet hôpital en arrivèrent à la conclusion que Tom souffrait d'un retard mental et que jamais il ne pourrait faire d'études. Une travailleuse sociale de l'hôpital insinua que Lee et Frank trouveraient difficile d'élever un enfant aux capacités si limitées, eux qui avaient fait de bonnes études.

«Il ne sera jamais autre chose qu'un ramasseur de cailloux», déclara la travailleuse sociale.

«Et alors?», rétorqua Lee. «Je vais vous dire une chose, Madame. Je me fiche de ce qu'il fera pour gagner sa vie. J'aime tous mes enfants. Et mon amour pour eux n'est pas fonction de leur quotient intellectuel. Je n'aime pas moins Tom parce qu'il n'est pas un génie.»

Tom, toutefois, surpassa les prévisions des médecins. À contrecœur, on permit à Tom de fréquenter une classe régulière. Malgré quelques périodes difficiles, il parvint non seulement à terminer ses études secondaires, mais également à faire deux ans et demi d'études collégiales. On découvrit même en cours de route que son retard mental était d'origine émotive et on le traita en conséquence.

Je suis heureux que Lee n'ait pas renoncé à cet enfant, car cet enfant qui a eu un départ si difficile dans la vie, c'est moi. Aujourd'hui, je prends des médicaments qui m'aident à contrôler mes déséquilibres émotifs. Et lorsque je songe à ma petite enfance, je remercie Dieu d'avoir eu comme mère une femme aussi entêtée. Au lieu d'écouter les sombres prédictions des médecins, elle m'a aimé suffisamment pour écouter ce que son cœur lui disait: les meilleures armes, lorsqu'on se bat pour son enfant, sont encore la foi et l'amour.

Tom Mulligan

4

LE RÔLE D'UNE MÈRE

L'amour d'une mère est comme un cercle :
il n'a ni début ni fin.
Il ne cesse de croître
et touche quiconque entre en contact avec lui.
Il purifie comme la rosée du matin,
réchauffe comme le soleil à son zénith
et réconforte comme un ciel étoilé.
L'amour d'une mère est comme un cercle :
il n'a ni début ni fin.

Art Urban

Dieu a pour nom maman dans l'esprit
et le cœur des petits enfants.

William Makepeace Thackery

Le jeu de la maternité

Vous avez sans doute entendu parler des «Arpents de pièges», ce jeu de société où l'on doit répondre à des questions sur une foule de sujets. J'ai souvent eu l'impression qu'il existe de nombreuses similitudes entre ce jeu et le rôle de mère. Les mères passent en effet une bonne partie de leur temps à se poser des questions, trébuchant sur les menus détails du quotidien familial, jamais certaines de leur performance.

En pensant à tout cela, j'ai mis au point mon propre jeu sur la maternité. Les règles sont simples: on commence avec dix plumes qu'on ajoute ou soustrait au fil du jeu.

Prêtes? Allons-y...

Case 1. Vous attendez l'arrivée de votre premier bébé. Si vous regardez votre ventre qui grossit vite et que vous vous dites «Dès la naissance du bébé, je retrouverai ma taille», enlevez-vous 2 plumes parce que vous prenez vos désirs pour des réalités.

Case 2. Deux années ont passé et votre deuxième enfant est à la veille de naître. Pour minimiser la rivalité frères-sœurs, vous vous êtes consciencieusement préparée en passant beaucoup de temps avec votre aîné et en lui procurant une poupée-bébé qu'il pourra nourrir, laver et bercer. Quand vous revenez à la maison avec votre bébé, son grand frère l'accepte bien. Enlevez-vous quand même 1 plume: c'est le chien qui en est jaloux.

Case 3. Votre fils numéro un vous annonce au souper qu'il tiendra le rôle d'un arbre dans une pièce de théâtre à l'école et qu'il a besoin d'un costume pour le lendemain matin. Si vous restez debout jusqu'à trois heures du matin pour confectionner un costume astucieux et original, enlevez-vous 3 plumes, car vous établissez un standard impossible à atteindre pour nous les autres mères. Par contre, si vous lui enfilez un sac de papier brun muni de trous pour sa tête et ses bras et que vous collez des feuilles vertes sur le devant et le derrière du sac, prenez cinq plumes, car vous venez de nous sauver la vie à toutes.

Case 4. Les enfants maintenant au nombre de trois vont tous à l'école. Vous venez de prendre conscience que «maman» rime avec «chauffeur de taxi». Lors d'une journée typique, vous déposez votre fille à sa leçon de musique et vos deux garçons à leur entraînement de baseball. Vous retournez ensuite chercher votre fille, puis, en passant prendre vos garçons, vous constatez qu'ils sont accompagnés de plusieurs autres coéquipiers que vous devez conduire chez eux. Vous mangez sur le pouce puisqu'un de vos enfants doit être à sa pratique de chorale à 19 h. Enfin, l'heure du coucher arrive et vous vous rendez compte qu'il y a un enfant de trop dans votre maison. Mais vous restez calme... ce n'est pas la première fois que cela se produit; d'une minute à l'autre, une voisine téléphonera en vous disant qu'il lui manque un enfant. Prenez 5 plumes pour votre endurance.

Case 5. Les petits chéris que vous avez bordés tendrement pendant des années vous traitent comme si vous étiez une parfaite étrangère. Votre présence est devenue un embarras. Devinez quoi? Vos enfants sont maintenant des adolescents, ces étranges créatures qui croient mesurer trois mètres et être à l'épreuve de tout. Si vous passez au travers de cette période en gardant toutes vos facultés mentales intactes, prenez 8 plumes pour votre héroïsme sous le feu de l'ennemi. Entre-temps, n'oubliez jamais que c'est vous qui détenez l'arme ultime: les clés de la voiture!

Case 6. Vous devinez que votre aîné est de retour de l'université lorsque vous trouvez une montagne de linge sale dans le vestibule. Si vous apportez ces vêtements au sous-sol pour les trier, les laver et les repasser comme dans le bon vieux temps, enlevez-vous 3 plumes et honte à vous! Par contre, si vous prenez votre grand paresseux par la main et lui faites visiter la pièce où se trouvent depuis toujours la laveuse et la sécheuse automatiques, prenez 5 plumes. Vous savez, l'université n'enseigne pas certaines des choses les plus importantes dans la vie.

Case 7. Comme par miracle, les enfants ont grandi et sont devenus des adultes responsables. Un jour, par hasard, vous entendez votre fils maintenant adulte raconter à son premier-né les mêmes histoires que vous lui racontiez à l'heure du coucher, il y a de cela une éternité. Des larmes coulent sur vos joues. Ne désespérez pas — ces larmes sont les joyaux du rôle de parent ainsi que le but ultime du jeu.

Félicitations! Vous venez de franchir la ligne d'arrivée. Il est temps de calculer votre pointage. Le jeu auquel vous venez de jouer s'appelle «Maternité» et si vous n'y avez pas perdu toutes vos plumes, vous gagnez!

Jacklyn Lee Lindstrom

THE FAMILY CIRCUS® *par Bil Keane*

«ÉVIDEMMENT
que j'aimerais être la mère idéale.
Mais je suis trop occupée
à élever des enfants!»

Arts plastiques 101

J'avais 34 ans et trois enfants lorsque je me suis inscrite au cours d'arts plastiques 101 au collège Motlow State, au Tennessee. Un jour, l'enseignant nous a annoncé que le projet que nous avions réalisé lors du tout premier cours ferait partie du portfolio qui allait compter pour une bonne partie de la note finale.

«Est-ce que je peux faire un autre projet?», ai-je alors demandé d'un ton nerveux. «Car je n'ai plus ce premier travail.»

L'enseignant m'a demandé pourquoi je ne l'avais plus. Un peu embarrassée, je lui ai dit la vérité:

«Parce qu'il est exposé sur le frigo de ma mère.»

Auteure inconnue
Proposée par Jana Barrett

Lettre d'une mère à son fils qui commence la maternelle

Cher Georges,

Quand ton grand frère, ton petit chien et moi-même t'avons conduit à la maternelle ce matin, tu n'avais pas idée de ce que j'éprouvais.

Tu étais si excité la veille que tu avais sorti au moins douze fois de ton sac à dos tes marqueurs lavables et tes ciseaux pour enfants.

Je vais vraiment m'ennuyer de ces matins de paresse où nous envoyions la main à ton frère et ta sœur qui partaient pour l'école. Je m'assoyais ensuite avec mon café et mon journal, te donnant la page des bandes dessinées à colorier tandis que tu regardais *Sesame Street*.

Comme tu es mon benjamin, j'ai eu le temps d'apprendre certaines choses avant ton arrivée dans la famille. Je me suis rendu compte entre autres que les jours parfois interminables de la petite enfance disparaissent à la vitesse de l'éclair. Le temps de cligner des yeux, et ton frère et ta sœur partaient pour l'école maternelle comme tu l'as fait ce matin.

J'ai eu de la chance: j'ai pu choisir de travailler à l'extérieur ou non. Lorsque ton tour est arrivé, je n'étais plus attirée du tout par les avantages que j'aurais pu retirer de faire carrière et d'apporter un autre salaire à la maison. J'avais plus envie de sauter à pieds joints dans une flaque d'eau avec toi, chaussé de tes bottes de pluie rouges, ou de te relire «une dernière fois» ton histoire préférée.

Tu n'as pas fréquenté la garderie et je n'ai rien d'une Maria Montessori. J'espère que cela ne t'a pas fait prendre du retard par rapport aux autres enfants. Tu as appris tes chiffres en m'aidant à compter les canettes de boisson gazeuse que nous retournions au supermarché. (Tu avais l'habitude d'user de ton charme pour m'inciter à t'acheter une gâterie avec l'argent de la consigne.)

Je ne suis pas très à jour non plus dans les méthodes d'apprentissage de l'écriture, mais tu te débrouilles très bien pour écrire ton nom à la craie sur le trottoir, de surcroît en lettres majuscules pour lui donner plus d'importance. Et, je ne sais trop comment, tu as saisi les nuances de la langue. Par exemple, tu m'as demandé l'autre jour pourquoi je t'appelais toujours «mon chéri» lorsque nous lisions des histoires et «mon grand» lorsque tu m'aidais à faire le ménage. Je t'ai alors expliqué la différence entre les moments de détente et les moments où il faut travailler, et tu as semblé satisfait de mon explication.

Je dois admettre qu'au fil des années, je me suis imaginé ce que j'allais faire lorsque tu serais à l'école. Je me voyais mettre à jour les albums de photos ou commencer ce roman que j'ai toujours voulu écrire. Je dois admettre aussi que cet été, lorsque le mois d'août est arrivé et que vos disputes se sont multipliées, j'avais de plus en plus hâte que l'école commence.

Et voilà que ce matin, je t'ai accompagné jusque dans ta classe, où il y a une photo du président des États-Unis sur un mur et une image de Bambi sur celui d'en face. Tu as immédiatement trouvé le crochet à manteau au-dessus duquel figurait ton nom, puis tu m'as serrée dans tes bras avec ta fougue et ton ardeur caractéristiques. Cette fois, tu étais prêt à me quitter avant que je ne le sois.

Un jour, peut-être, tu conduiras ton propre enfant à l'école maternelle et te sentiras comme je me suis sentie ce matin. Lorsque tu te retourneras pour lui envoyer la main, il sera trop occupé à bavarder avec un nouvel ami pour te voir. Tu souriras, mais tu sentiras quelque chose de chaud couler sur ta joue.

Et là, tu comprendras ce que j'éprouve aujourd'hui.

Je t'aime,
Maman

Rebecca Christian

«**Tous ces pleurs et
ces étreintes interminables...
J'ai cru que
les mères ne partiraient jamais!**»

Mère d'un sportif

C'est un samedi frisquet du mois de mai. Dire que je pourrais être à la maison à épousseter les recoins du salon ou à lire un bon roman policier sur le divan. Mais non, je suis assise sur un banc de métal froid dans les estrades d'un terrain de baseball de Kirkland, dans l'État de Washington. Un vent glacé transperce mon épais manteau d'hiver. Je souffle sur mes doigts et regrette de ne pas avoir apporté mes gants.

«Mme Bodmer?» C'est l'instructeur de mon fils Matthew. Matthew l'admire tellement qu'il a cessé de boire des boissons gazeuses pour l'impressionner. «Votre fils commencera le match au champ droit. Il a travaillé fort cette année et je pense qu'il mérite sa chance.»

«Merci», que je réponds. Je suis fière de mon fils qui donne son maximum pour son instructeur et son équipe. Je sais à quel point le baseball est important pour lui et je suis heureuse que ses efforts soient récompensés.

Au moment où les joueurs vêtus de leur uniforme blanc à rayures sautent sur le terrain, je suis soudainement inquiète pour Matthew. Je cherche son numéro parmi les joueurs. Je ne le vois nulle part. C'est Eddie, le joueur le moins expérimenté de l'équipe, qui prend position au champ droit. Je regarde de nouveau, perplexe. Où est Matthew?

J'ai envie de descendre des gradins pour demander ce qui se passe à l'instructeur, mais je sais que cela déplairait à Matthew. Je connais les règles qui s'appliquent aux mères; il est inacceptable de parler à l'instructeur, sauf lorsque c'est lui qui en prend l'initiative.

Mon fils, agrippé à la chaîne qui délimite l'abri des joueurs, crie des encouragements à ses coéquipiers. J'essaie de décoder l'expression sur son visage, mais je sais qu'il a, comme la plupart des garçons, appris à contenir ses émotions. J'ai le cœur brisé: tant de travail et une telle déception en guise de récompense. Je ne comprends pas pourquoi les garçons s'imposent ce genre d'épreuve.

«Super, Eddie!», crie le père du joueur qui joue au champ droit, fier que son fils commence le match. Cet homme, je l'ai vu plusieurs fois quitter le terrain de baseball avec un air dégoûté parce que son fils avait échappé une balle ou effectué un mauvais lancer. Mais pour le moment, il est fier de son fils qui commence le match sur le terrain pendant que le mien réchauffe le banc.

À la quatrième manche, mes doigts sont glacés et je ne sens plus mes pieds, mais je m'en moque. Matthew va faire son entrée sur le terrain. Il se lève, se choisit un casque de frappeur, saisit un bâton et se dirige vers le marbre. Je m'agrippe à mon banc. Matthew effectue quelques élans d'exercice. Le lanceur a l'air d'un adulte. Je me demande si quelqu'un a vérifié son certificat de naissance.

Première prise. Je lui crie «Bel élan!» Le lancer suivant est une balle. «Bien jugé! Bien jugé!». Deuxième prise. Je prie. Je croise les doigts. Le lanceur s'apprête à lancer. Je retiens mon souffle. Troisième prise. Mon fils baisse la tête et reviens lentement vers l'abri. J'aimerais de tout mon cœur pouvoir le réconforter. Mais je sais qu'il n'y a rien que je puisse faire.

J'assiste aux matchs de mes fils depuis huit ans. J'ai bu des litres de café imbuvable, mangé des kilos de hot dogs détrempés et grignoté du maïs soufflé trop salé. J'ai supporté le froid et la canicule, le vent et la pluie.

Certains se demanderont pourquoi une personne sensée accepte de supporter tout cela. Pour ma part, je ne le fais pas parce que je veux réaliser mon rêve d'exceller dans le sport par l'entremise de mes enfants, pas plus que je ne suis à la recherche d'émotions fortes. Oh, bien sûr, j'en ai souvent éprouvées. J'ai vu mes deux fils marquer des buts victorieux au soccer, frapper des circuits et faire des attrapés incroyables au baseball, amorcer des remontées décisives au basketball. Mais ce que j'ai vu le plus souvent, c'est du chagrin.

J'ai attendu avec eux ces coups de fil confirmant qu'ils faisaient partie de l'équipe. Et ces autres coups de fil que nous avons attendus en vain. J'ai vu des instructeurs crier après eux. Je les ai vus rester sur le banc match après match. J'ai patienté dans les urgences des hôpitaux pendant qu'on réparait des os brisés ou qu'on effectuait des radiographies de chevilles enflées.

Le match est terminé. J'étire mes jambes et tente de redonner vie à mes orteils gelés. L'instructeur parle à ses joueurs, puis tous lancent un cri de ralliement et vont retrouver leurs parents. Je remarque que le père d'Eddie a le sourire fendu jusqu'aux oreilles et donne des tapes dans le dos à son fils. Matthew est allé se chercher un hamburger. Tandis que je l'attends, l'instructeur s'approche de moi. Je suis incapable de le regarder.

«Mme Bodmer, je veux vous dire que votre fils est quelqu'un de bien.»

J'attends qu'il m'explique pourquoi il a brisé le cœur de mon enfant.

«Quand j'ai dit à votre garçon qu'il pouvait commencer le match d'aujourd'hui, il m'a remercié mais a refusé mon offre. Il m'a dit de faire jouer Eddie à sa place parce que c'était encore plus important pour lui.»

Je me tourne vers mon fils qui dévore son hamburger. Je comprends alors pourquoi je passe tout ce temps assise dans les gradins. À quel autre endroit pourrais-je voir mon fils grandir et devenir un homme?

Judy Bodmer

Mère au stade avancé

Cela commence quand vous vous rendez compte que les concerts rock vous donnent la migraine. Ou quand vous vous mettez à offrir à des adultes de découper leur viande. Ou quand vous vous surprenez à conclure ainsi une discussion: «Parce que c'est moi la mère, voilà pourquoi.»

Vous venez de franchir une nouvelle étape dans votre rôle de mère. Tous les signes avant-coureurs sont présents. Vous savez que vous êtes mère au stade avancé...

... quand vous comptez les bonbons qui décorent les petits gâteaux que vous venez de faire, afin de vous assurer que vous en avez mis autant sur chacun.

... quand vous avez envie d'engager un tueur à gages parce qu'un enfant a cassé le jouet favori de votre fils et l'a fait pleurer.

... quand vous avez le temps de vous raser seulement une jambe à la fois.

... quand vous vous enfermez dans la salle de bains pour être seule un moment.

... quand votre enfant vomit et que vous attrapez ses vomissures.

... quand l'enfant d'un autre vomit à l'occasion d'une fête et que vous continuez de manger.

... quand vous considérez la peinture à doigts comme une substance réglementée.

... quand vous êtes passée maître dans l'art de placer une grosse portion de crêpe et une grosse portion d'omelette sur une assiette sans que ni l'une ni l'autre ne se touche.

... quand votre enfant insiste pour que vous lisiez à voix haute *Il était une fois un petit pot* dans le hall de la gare centrale, et que vous acceptez.

... quand vous restez inflexiblement opposée à la mise en marché des jouets de guerre et que votre fils grignote sa rôtie de façon à lui donner la forme d'une mitraillette.

... quand vous espérez que le ketchup est un légume parce que c'est le seul que votre enfant mange.

... quand vous persuadez votre enfant que le musée des jouets est un musée, et non un magasin.

... quand la pensée que votre fils ait une petite amie vous est insupportable.

... quand la pensée qu'il ait une épouse vous horripile encore plus.

... quand vous vous surprenez à découper les sandwiches de votre mari en formes d'animaux.

... quand vous appuyez sur la touche «avance rapide» du magnétoscope lorsque le chasseur abat la mère de Bambi.

... quand vous devenez membre de trois aquariums parce que votre enfant adore les requins.

... quand vous vous inquiétez que votre enfant s'accroche à votre jupe chaque matin avant de partir pour la maternelle, pour ensuite vous inquiéter lorsque, quelques semaines plus tard, il part pour l'école sans se retourner.

... quand vous ne vous résignez pas à donner vos vêtements de bébé; ce geste est tellement définitif.

... quand vous croyez entendre la voix de votre mère sortir de votre propre bouche lorsque vous dites: «*Pas avec tes vêtements neufs.*»

... quand vous cessez de critiquer la façon dont votre mère vous a élevée.

... quand vous souffrez d'insomnie.

... quand vous utilisez votre propre salive pour laver le visage de votre enfant.

... quand vous lisez qu'un enfant de cinq ans pose en moyenne 437 questions par jour et que vous êtes fière qu'il en pose plus.

... quand vous faites venir une gardienne parce que vous n'êtes pas sortie seule avec votre mari depuis des siècles et que vous passez ensuite la moitié de la soirée à téléphoner à la gardienne pour vous assurer que tout va bien.

... quand vous dites au moins une fois par jour «Je ne suis pas faite pour élever des enfants», mais que vous ne changeriez votre place pour rien au monde.

Liane Kupferberg Carter

Pour toujours,
quoi qu'il arrive!

Aucune amitié, aucune affection ne se mesure à l'amour d'une mère pour son enfant.

Henry Ward Beecher

Notre fille Ariana est sortie de la petite enfance avec son lot de bosses et de genoux éraflés. À chaque petit bobo, je lui tendais les bras en disant: «Viens voir maman.» Elle s'approchait de moi et montait sur mes genoux, puis je la serrais dans mes bras. «Es-tu ma petite fille?» Entre deux sanglots, elle faisait oui de la tête. Ensuite, je lui disais: «Tu es ma petite Ariana chérie?» Elle faisait encore oui de la tête, mais cette fois avec un sourire. Et je concluais ainsi: «Je t'aimerai toujours, quoi qu'il arrive.» Après un petit rire et un câlin, elle descendait de mes genoux, prête à se lancer dans de nouvelles aventures.

Ariana a maintenant quatre ans et demi. Nous continuons notre petit rituel du «Viens voir maman» pour les genoux éraflés et les gros chagrins, ainsi que pour les «bonjour» et les «bonne nuit».

Il y a quelques semaines, j'ai eu une mauvaise journée. J'étais fatiguée, irritable et débordée, m'arrachant les cheveux pour m'occuper à la fois de ma fille de quatre ans, de mes jumeaux adolescents et de mon travail à domicile. Chaque fois que le téléphone ou la sonnette d'entrée se faisait entendre, ma charge de travail pour la journée venait d'augmenter! À un moment donné dans l'après-midi, j'ai dépassé mon seuil de tolérance et suis allée me réfugier dans ma chambre pour pleurer un bon coup.

Ariana s'est aussitôt pointée et m'a dit: «Viens voir Ariana.» Elle s'est couchée à côté de moi, a essuyé mes joues moites avec ses petites mains douces et a dit: «Es-tu ma maman?» À travers mes larmes, j'ai fait oui de la tête. «Tu es ma petite maman chérie?» J'ai fait signe que oui et j'ai souri. «Je t'aimerai toujours, quoi qu'il arrive.» Après un petit rire et un câlin, je me suis sentie prête à me lancer dans de nouvelles aventures.

Jeanette Lisefski

À mes enfants

À MON AÎNÉ,

Je t'ai toujours aimé parce que tu as été notre premier miracle. Tu as été l'incarnation de notre union et l'accomplissement de notre jeune amour.

Tu nous as soutenus à l'époque des vaches maigres, de notre premier logement (meublé de style pauvreté avancée), de notre premier moyen de transport (à pied, modèle 1955) et de notre premier téléviseur (36 mois de paiements pour un écran de quinze centimètres!).

Tu as eu la première place, des grands-parents encore inutilisés et suffisamment de vêtements pour habiller des triplés. Tu as été le prototype d'un papa et d'une maman qui essayaient de corriger tous les petits défauts. Tu as eu droit à de l'agneau en purée, aux épingles de sûreté laissées ouvertes et aux siestes de trois heures.

Tu as été le commencement.

À MON CADET,

Je t'ai toujours aimé parce que tu as hérité d'un rang difficile au sein de la famille et que cela t'a rendu plus fort.

Tu as pleuré moins, tu as été plus patient, tu as porté des vêtements usés et tu n'as jamais rien fait le premier. Mais tout cela a fait de toi quelqu'un de spécial. Tu as été celui avec qui nous pouvions nous détendre, celui qui nous a fait prendre conscience qu'on pouvait embrasser un chien sans attraper de maladie. Tu as été capable de traverser la rue bien avant d'être en âge de te marier. Et tu nous as aidés à comprendre que la terre ne cesserait pas de tourner si tu te mettais au lit avec les pieds sales.

Tu as été l'enfant de nos années chargées de travail et d'ambitions. Sans toi, nous n'aurions pas pu survivre aux changements d'emploi, à la monotonie du quotidien et à la routine du mariage.

À MON BENJAMIN,

Je t'ai toujours aimé parce que tu as apporté une conclusion heureuse à notre famille, alors que les fins sont souvent tristes. Tu n'as jamais été capricieux, acceptant d'emblée les biberons tachés de lait, le lit du dessous, le bâton de baseball fissuré et le livre pour enfants devenu illisible, mise à part la recette de croûte à tarte griffonnée entre les dessins.

Tu es celui auquel nous nous sommes accrochés. Tu es notre lien avec le passé, notre raison d'espérer pour l'avenir. Tu es celui qui a enlevé du gris dans nos cheveux, qui a accéléré notre pas, qui a relevé nos épaules, qui a aiguisé notre vue et qui nous a donné un sens de l'humour que la sécurité matérielle, la maturité et la longévité ne peuvent procurer.

Quand tu commenceras à perdre tes cheveux et que tes propres enfants seront grands, tu seras toujours notre bébé.

Une mère

Auteure inconnue
Soumise par Barbara Wiltberger

**«On a absolument besoin d'un retrait.
Il faut que j'aille aux toilettes.»**

Reproduit avec l'autorisation de Dave Carpenter.

Quand un enfant quitte la maison

Comment sait-on que le fruit est mûr? Quand il tombe de lui-même de l'arbre.

André Gide

Moi qui m'imaginais la conduire à la maternelle, qu'est-ce que je fabrique sur ce campus d'université? Et ça, n'est-ce pas la petite couverture que je lui avais faite pour ses siestes? Alors pourquoi suis-je en train de la mettre sur ce lit que je n'ai jamais vu? Qu'est-ce que je fais ici? Ma fille, elle, est tout excitée et moi... moi, je prétends que le poids qui écrase mon cœur est le fruit de mon imagination. Comment les 18 dernières années ont-elles pu filer si vite?

Il ne reste plus rien à faire. Le lit est fait, les valises sont défaites; elle s'affaire même à poser des affiches et des photos sur les murs. Est-ce pour moi le signal de m'en aller? Je lui dis au revoir en l'embrassant et lui souhaite de bien s'amuser — sans pour autant oublier d'étudier. Je sors, je marche dans la lumière dorée de l'automne, je déverrouille la portière de la voiture, je m'installe au volant et j'éclate en sanglots.

Le chemin du retour est interminable et je me sens seule. J'entre dans la maison; tout est si calme, on dirait que la maison est désertée à jamais. Sa chambre est tranquille et, mon Dieu, si vide. Je n'arrive pas à y croire; on peut même voir la moquette! Son lit est fait; les couvertures sont lisses, sans aucune bosse formée par une chaussette oubliée. Les rideaux sont bien placés autour de la fenêtre et le placard est presque vide. Mais... qu'est-ce que c'est que ça? Il y a encore un fouillis sous le lit!

Voilà donc où se trouvaient les tasses manquantes et les verres de cristal disparus — tous alignés sur la commode, entourés de photos de petits amis disparus du décor. Et voilà son chemisier préféré dans un coin. Elle a dû l'oublier. Oubliera-t-elle mes conseils aussi facilement?

J'entends l'autobus scolaire rouler sur notre rue, et mon cœur bondit parce que j'ai cru un bref instant qu'elle arrivait à la maison. Je pousse un soupir de dépit: l'autobus ne s'arrête plus devant notre maison. Le chauffeur tourne le coin, embraye et poursuit sa route, et je regarde la rue déserte. Plus jamais d'écolière, de maison bondée d'amis, de traces de pagailles, de salle de bains sens dessus dessous. Tout sera propre, rangé, tranquille, ennuyant.

Ce matin, j'étais une mère de 18 ans d'expérience. Puis, en un claquement de doigt, je me retrouve au chômage. Qu'est-ce que je vais faire? De qui prendrai-je soin? J'ai voulu qu'elle soit une jeune fille autonome, et je sais que je suis censée me trouver autre chose à faire, mais pourquoi ne m'a-t-on jamais dit qu'une partie de mon cœur éclaterait en mille morceaux le moment venu?

Hier encore, elle se blottissait tout contre moi et ses cheveux de bébé brillaient sous le soleil. Puis elle a franchi une étape et ses plus grandes catastrophes se résumaient à des genoux éraflés et à des dents de lait qui tombaient. Maintenant, elle avance dans une nouvelle direction et les catastrophes auront une tout autre ampleur. Une peine de cœur, par exemple, ou un rêve brisé. Or, je ne peux plus soigner ses blessures avec un simple bisou, un pansement et un biscuit au chocolat. Comme je voudrais lui épargner les larmes et les épreuves! Mais je ne peux pas. Elle doit apprendre seule, verser ses propres larmes, vivre ses propres déceptions.

Je croyais être prête pour ce moment, l'avoir planifié. J'ai commencé une nouvelle carrière, entrepris des projets et rempli mon emploi du temps. Je n'avais pas l'intention de rester les bras croisés et de m'enfoncer dans le syndrome du nid déserté. Pas moi; je suis plus intelligente que ça. Je suis une femme «moderne»: brillante, efficace, sûre d'elle-même. Mais alors, pourquoi suis-je en train de pleurer à chaudes larmes en serrant dans mes bras la vieille poupée de ma fille?

Soudain, je me rappelle. C'était un autre automne, un endroit différent. La jeune fille qui faisait son entrée à l'université, debout devant la porte de ses rêves, excitée par l'air frais et vivifiant des nouveaux lendemains, c'était moi. Et l'homme qui me faisait au revoir de la main, le corps ployant sous la peine, c'était mon père. Oh, papa, maintenant je comprends ce que tu éprouvais!

Une étape de la vie est terminée, l'enfant dont vous avez pris soin n'a plus besoin de vous, un vide se crée dans votre cœur et votre existence.

Je sais qu'un jour, je m'en remettrai. Je me lancerai à la poursuite de nouveaux rêves, j'apprécierai tout ce temps dont je dispose, je repenserai sans nostalgie à tout le ménage que je devais faire et je prendrai goût aux salles de bains immaculées. Pour l'instant, toutefois, et pour une partie de la journée, je pense que je vais rester assise ici, dans cette chambre de jeune fille, à tenir dans mes bras une vieille poupée autrefois adorée, à pleurer et à me souvenir.

Phyllis Volkens

L'aide-maman

L'année où je suis arrivée à Dallas, j'ai compris que l'amour maternel n'était pas réservé qu'aux mères. Je venais tout juste de commencer mon nouvel emploi comme présentatrice de nouvelles dans une station de télévision de Dallas-Fort Worth affiliée au réseau NBC. Je savais que mon statut d'ex-Miss Amérique risquait de me confiner au stéréotype de la reine de beauté, mais j'étais résolue à redoubler d'ardeur pour montrer ce dont j'étais capable. Cela ne me dérangeait pas, car j'aimais mon métier — mais j'aimais aussi ma famille. Le stress de mon nouveau travail, notre déménagement, nos quatre enfants et la chaleur torride du Texas se révélèrent toutefois au-dessus de mes forces.

Mon plus grand défi consista à trouver un service de garde pour mon fils de trois ans, Tyler. À Oklahoma City, il s'était fait garder depuis sa naissance par une merveilleuse famille qui vivait dans le même quartier que nous et qui considérait Tyler comme un membre de leur clan. Si je voulais connaître la même tranquillité d'esprit, il fallait que je trouve un environnement tout aussi idéal. Je fis de nombreuses démarches pour trouver une bonne garderie, mais en vain. Comme mon nouveau travail exigeait toute mon attention, j'avais besoin de trouver rapidement une solution.

Alors que je croyais le problème insoluble, mon amie Carmen vint à ma rescousse. Elle avait une tante de San Antonio qui était disposée à venir à Dallas pour faire un essai. C'est exactement ce dont j'avais besoin: une personne qui m'était référée par une connaissance. J'étais prête à passer à l'action. Sans perdre de temps, j'envoyai chercher la tante en question, Mary, et j'attendis son arrivée avec impatience.

La femme qui apparut sur le pas de ma porte ne correspondait pas du tout à l'image que je me faisais de la gouvernante idéale. Elle était toute menue et plutôt âgée. Elle portait des vêtements élimés, mal assortis et rafistolés avec des épingles de sûreté. D'une timidité maladive, parlant un mauvais anglais, elle resta presque muette, même lorsque je lui posai des questions. Et quand elle sourit, ses dents laissèrent deviner une vie de pauvreté et de privation. Comment pouvais-je l'embaucher? Comment allais-je pouvoir lui donner des consignes ou faire confiance à sa capacité de prendre des décisions? Avais-je le goût de prendre soin d'une autre personne?

Mon fils Tyler répondit à toutes mes questions d'un seul coup. Il prit la main de Mary, la fit entrer dans la maison et passa les heures qui suivirent à babiller joyeusement tandis que Mary écoutait en souriant. Ils s'assirent dans le même petit fauteuil pour regarder la télévision, puis ils colorièrent ensemble, installés sur le plancher. Elle ne cessa de dire que Tyler était «très intelligent», mais je voyais bien qu'ils apprenaient autant l'un de l'autre.

J'achetai de nouveaux vêtements à Mary, mais ils restèrent dans le placard en vue de «grandes occasions». Tyler, cependant, ne se rendait pas compte que Mary était différente des autres — et il s'en moquait. Il était simplement fier de l'amitié qu'elle lui témoignait. Chaque après-midi, sans exception, elle se rendait à l'école de Tyler, s'assoyait sur un petit banc et observait les enfants. Quand la cloche annonçant la fin des classes sonnait, Tyler allait la retrouver pour rentrer à la maison. Un jour où il pleuvait fort, j'envoyai quelqu'un chercher mon fils à l'école, mais Tyler ne voulut rien entendre. Il tenait à ren-

trer à pied avec Mary afin de pouvoir jouer dans les fla-
ques d'eau avec elle. À partir de ce jour, qu'il pleuve, qu'il
vente ou qu'il neige, Mary et Tyler rentraient à pied à la
maison, enveloppés d'une tendre amitié que la plupart
des gens ne peuvent qu'imaginer.

Mon exemple favori de leur belle relation est le rendez-vous chez l'ophtalmologiste. Mary était timide et mal
à l'aise en public, et la perspective d'aller dans une
grande clinique la rendait nerveuse. Je lui rappelai toutefois avec insistance qu'elle avait besoin d'un examen de
la vue, et nous y allâmes. Assise sur la chaise d'examen,
elle avait l'air encore plus petite et plus vulnérable que
d'habitude. Je pense que mon fils devina son malaise, car
je le vis se rapprocher subtilement d'elle lorsqu'on éteignit la lumière. Le médecin fit apparaître des rangées de
lettres sur le mur. Mary lut la première rangée en hésitant, puis elle bafouilla à mesure que les lettres deve-
naient plus petites. Du coin de l'œil, j'aperçus Tyler se
déplacer. Lorsque je me tournai, je vis qu'il avait réussi à
se glisser juste à côté de Mary. Appuyé sur l'accoudoir, un
grand sourire aux lèvres, il lui soufflait les réponses!

Je remercie Dieu que l'amour maternel ne soit pas
réservé qu'aux mères. Je suis reconnaissante pour ces
femmes et ces hommes capables de donner aux autres, de
les aimer et d'en prendre soin. Quelle chance pour un
enfant d'être en contact avec *plusieurs* adultes aimants,
qu'ils soient éducateurs en garderie, animateurs de
scouts, entraîneurs de baseball, enseignants, infirmières,
voisins, tantes ou oncles. Merci mon Dieu pour les personnes comme Mary, un ange descendu du ciel.

Jane Jayroe

THE FAMILY CIRCUS® *par Bil Keane*

«Ils ont l'air si gentils et si tranquilles quand ils dorment. Je me demande comment ils peuvent crier après nous durant la journée.»

La belle-mère

Depuis notre divorce à l'amiable quelques années auparavant, Éric et moi étions restés bons amis et avions maintenu une relation cordiale. Nous avions convenu d'un ensemble de règles cohérentes et d'un horaire de visite pour notre fils, Charley, et celui-ci partageait harmonieusement son temps entre nos deux demeures. Il semblait bien dans sa peau et heureux.

Quand je rencontrai pour la première fois la fiancée d'Éric, c'est-à-dire celle qui allait devenir la belle-mère de mon fils, je ne pus m'empêcher d'être un peu nerveuse, car il ne faisait aucun doute que Bonny allait exercer une influence sur la vie de mon enfant. Ce que j'ignorais à l'époque, c'est l'influence qu'elle aurait sur ma vie à moi.

Dès notre première rencontre, je fus frappée par nos différences. Elle s'habillait en femme de carrière alors que je portais des vêtements tout-aller. Elle était séduisante, calme et sûre d'elle-même, tandis que j'étais plutôt échevelée, nerveuse et bavarde. J'étais mal à l'aise et soupçonneuse, scrutant chacun de ses gestes et chacune de ses inflexions, essayant de jauger sa capacité de s'occuper de mon fils. Une seule question me hantait: «Que fera-t-elle de mon précieux bébé?»

Avant cette rencontre, j'avais souvent échafaudé des scénarios sur la femme avec qui mon «ex» déciderait de refaire sa vie. Une fois, j'avais imaginé mon fils qui s'enfuyait en hurlant pour échapper à une vilaine sorcière, une mégère complètement folle. Dans ce scénario, bien entendu, il venait se réfugier dans mes bras à moi, sa véritable mère, capable de sagesse et de patience comme seule une vraie mère le peut.

Une autre fois, j'avais imaginé un scénario autrement plus inquiétant: la nouvelle femme de mon «ex» devenait la seule personne sur qui mon fils comptait, celle vers qui il allait pour se consoler des mesquineries de sa vraie mère qui ne l'avait jamais compris. Ou pire encore, cette femme devenait celle avec qui il s'amusait réellement, celle qui me valait des commentaires du genre «Je n'irai pas à la maison ce soir, maman. Bonny a des billets dans une loge de luxe pour le match de championnat des Bulls»

Malheureusement, la situation était bien réelle maintenant. Une femme en chair et en os était sur le point de devenir la deuxième mère de mon fils, et tout ce que je pouvais faire, c'était d'observer et d'attendre.

Avec le temps, je devins moins méfiante et plus naturelle en présence de Bonny. De son côté, elle laissa tomber son image impeccable et devint plus familière. Nous trouvâmes un terrain d'entente en ce qui concernait les déplacements de mon fils, les réunions à l'école et les matchs de soccer.

Un soir, après une conférence à l'école, mon nouveau mari et moi invitâmes Éric et Bonny à prendre un café chez nous. Charley était ravi; il adorait nous avoir tous auprès de lui. Pendant la soirée, tensions et prétextes disparurent graduellement. Bonny et moi laissâmes tomber un peu notre méfiance et bavardâmes avec plus de franchise. Il n'y avait plus d'«ex» et de «beaux-parents», seulement des amis.

Quelques mois plus tard, nous nous rencontrâmes de nouveau pour discuter des résultats scolaires de Charley. Au lieu de venir à cette rencontre avec son arsenal habituel de documentation, de listes et de statistiques (comme si elle faisait une présentation devant un comité), Bonny s'ouvrit et nous confia à quel point elle était vulnérable. Elle parla de son manque d'assurance et de son anxiété face à l'adolescence de Charley. Était-elle trop exigeante ou trop permissive? Le poussait-elle trop, ou le couvait-elle exagérément?

Mon cœur s'ouvrit aussi à elle, car les pensées et les peurs qu'elle venait d'exprimer m'empêchaient moi aussi de dormir la nuit. Son raisonnement, ses sentiments et son comportement étaient ceux d'une mère — celle qu'elle était en train de devenir.

La deuxième mère de Charley n'est donc ni une sorcière qui veut faire du mal à mon fils, ni une bonne fée qui essaie de me le voler. Elle est seulement une femme qui aime mon petit garçon. Elle va se faire du souci pour lui, lutter pour lui, le protéger des dangers.

Plutôt que de redouter Bonny, j'en suis venue à être reconnaissante de sa présence dans la vie de Charley et dans la mienne. Aujourd'hui, j'apprécie sa vision des choses, ses idées... et même ses listes de statistiques. J'avais tort de vouloir retenir mon fils comme une possession, de refuser de le partager. J'ai peut-être été la première à l'aimer, mais cela ne veut pas dire que je serai la seule à le faire. Il y a maintenant une personne de plus en ce monde qui veille sur lui. Pour cette raison, je partage avec joie le titre de *maman*.

Jennifer Graham

5

Devenir mère

Chaque enfant qui voit le jour
est une nouvelle pensée de Dieu,
une possibilité toute neuve et radieuse.

Kate Douglas Wiggin

Quel cadeau formidable!

Dans la simplicité enveloppante des premiers jours qui suivent la naissance d'un bébé, on peut sentir cette intimité magique et miraculeuse où deux personnes existent seulement l'une pour l'autre.

Anne Morrow Lindbergh

Elle se glisse dans ce monde, puis dans mes bras. Elle arrive tout droit du paradis. Tout droit de Dieu. Quel cadeau formidable! Je la regarde, une aura de paix et de pureté l'enveloppe. À travers mes larmes de joie, je lui murmure à l'oreille: «Nous sommes contents de te voir. Nous t'attendons depuis si longtemps.» Elle ouvre les yeux et me voilà transformée — je vis un moment d'éternité rempli de tout ce que la vie a d'infini. Dans son regard, je vois la reconnaissance totale, l'amour inconditionnel et la confiance absolue. Je suis mère. En cet instant, je sens et je sais, au fond de mon cœur, tout ce dont j'ai besoin pour guider ses pas.

Couchée sur le lit entre son papa et moi, elle dort. Nous comptons ses orteils et ses doigts et nous nous émerveillons de cette perfection en si petit format. Nous cherchons à qui de nous deux elle ressemble et ce qu'elle a d'unique. Nous ne disons rien, mais notre cœur et notre esprit sont chargés de pensées, de rêves et d'espoirs pour elle. Qui deviendra-t-elle? Quels dons se trouvent en elle? Quelle sera sa contribution en ce monde? Juste en la contemplant et en ressentant l'amour et la tendresse qu'elle apporte, nous nous sentons allégés de tous les fardeaux du monde et initiés à l'essentiel, comme en présence d'un vieux sage. Il nous est difficile de fermer les yeux pour dormir.

Au fil des jours et des années, nous sommes impressionnés de la voir se transformer. Son premier sourire, son premier mot, ses premiers pas, tout cela se fait selon un plan déjà établi, mais à son rythme et à sa manière à elle. Elle nous réapprend à jouer, à ralentir pour mieux voir le monde. Elle nous fait redécouvrir des choses que nous pensions connaître. Il est évident que sa mémoire, sa sensibilité et son regard captent beaucoup plus de choses que nous ne le pouvons et, peut-être, ne le pourrons jamais.

Le temps file. Demain elle sera grande. Elle deviendra une jeune femme prête à s'élancer dans la vie et à donner sa pleine mesure. Son départ nous déchirera, mais nous savons qu'elle ne nous appartient pas. Elle est venue à nous pour nous apprendre des choses, pour nous donner de la joie, pour nous faire sentir entiers et proches de Dieu.

Jeanette Lisefski

Le sixième sens d'une mère

J'approchais de la fin de ma première grossesse et j'étais confinée au lit 24 heures sur 24. J'avais failli faire une fausse-couche; nous ne prenions donc aucun risque. Étendue sur mon lit, je n'avais rien d'autre à faire que de parler à mon bébé et me réjouir de ses mouvements dans mon ventre. Elle me faisait sentir sa présence chaque matin à neuf heures précises, bougeait un peu, se trémoussait, finissait par se trouver une position plus confortable pour se reposer, puis remuait encore un peu.

Deux semaines avant la date prévue de la naissance d'Angelica, je me réveillai et ne la sentis pas bouger. Dans un des livres que j'avais lus sur la grossesse, on disait que cela pouvait arriver. Aussi essayai-je de me relaxer. Toutefois, l'émission télévisée de Phil Donahue eut le temps de commencer et de se terminer, suivie de celle d'Oprah à dix heures, et toujours rien. Aucun mouvement. Commençant à angoisser, je téléphonai à mon médecin. «Ne vous inquiétez pas, me dit-il, c'est une situation très courante. Lorsque cela fera huit heures que vous n'aurez senti aucun mouvement, il y aura matière à s'inquiéter.» Exactement ce que disait mon livre.

C'est à ce moment que mon instinct m'interpella. Je me moquais de ce que les experts disaient, moi je sentais fortement que quelque chose n'allait pas. Je rappelai mon médecin pour lui dire que je partais sur-le-champ le voir pour qu'il me fasse entendre les battements du cœur de mon bébé. Je me fichais qu'on me trouve excessive dans ma réaction; je me fiais à mon instinct.

Mon mari quitta son bureau et me rejoignit à la clinique. L'infirmière me ceintura le ventre pour me brancher au moniteur fœtal. Le petit cœur de mon bébé battait régulièrement, mais faiblement. À 11 h 30 du matin, cependant, l'échographie révéla que le cœur était la seule chose en mouvement chez mon bébé!

On me transporta en toute vitesse à l'hôpital, car le médecin avait ordonné une césarienne d'urgence. J'étais en état de choc. Mon bébé allait-il mourir? À l'hôpital, une infirmière vint nous quérir à la réception: «Nous sommes prêts pour vous!» La situation ressemblait à une scène de code bleu de l'émission *Salle d'urgence*. Pendant que mon mari était reparti garer la voiture, on m'installa sur une civière et on me brancha à un soluté en vue de l'intervention.

Pendant toute la durée de la césarienne, je serrai la main de mon mari et priai pour la vie d'Angelica. Lorsqu'elle sortit, elle était bleue. Le médecin lui tapota les fesses une fois, deux fois, trois fois. *Mon Dieu, je vous en prie, ne me la prenez pas!* Puis Angelica laissa sortir un vagissement qui fut pour moi le son le plus doux au monde. À travers nos larmes, nous embrassâmes notre fille et lui souhaitâmes la bienvenue. Elle s'était emmêlée dans son cordon ombilical; si je n'avais pas téléphoné au moment où je l'ai fait, nous l'aurions perdue.

Qu'est-ce qui m'a poussée à appeler mon médecin? Ce fut l'instinct, le sixième sens qu'ont les mères à l'égard de leurs enfants. Je n'en reviens pas encore aujourd'hui que mon instinct maternel se soit fait sentir avant même que je devienne officiellement une mère, me dictant d'agir pour sauver mon bébé. J'en suis si heureuse.

Et ma petite Angelica dans tout cela? Elle est aujourd'hui une grande fille de dix ans précoce et en bonne santé. Savez-vous quelle est son histoire préférée le soir avant de dormir: «Raconte-moi encore comment je suis née, maman.»

Amy Hilliard-Jones

Elle nous ressemble

Trois mois avant la naissance de mon premier enfant, je commençai à me procurer des vêtements pour bébé. J'avais déjà quelques vêtements qui m'avaient appartenu et que ma mère avait gardés pour moi, d'autres qu'avait portés mon père et que ma grand-mère avait conservés, et d'autres encore que ma mère et ma grand-mère avaient tricotés il y a des années, impatientes qu'elles étaient d'avoir des petits-enfants et des arrière-petits-enfants.

Mon trousseau comprenait donc quelques robes, notamment une longue et délicate robe de coton blanc qui avait appartenu à mon père, deux nids d'ange, deux paires de chaussons et quelques minuscules bonnets que nous essayâmes sur le poing de mon mari.

Je ne suis pas très douée pour les travaux d'aiguille, mais je tenais à confectionner à la main la literie dans laquelle mon bébé allait dormir. Par ailleurs, j'avais des photos de moi, nouveau-née, vêtue d'une longue robe blanche faite à la main, et il me semblait que je devais accueillir mon enfant dans le même genre de vêtements. Je décidai donc de confectionner également une robe blanche à œillets, rubans et boucles de satin blanc (la seule que je fis de toute ma vie). Le résultat fut plutôt réussi.

Par la suite, j'allai dans les magasins. J'achetai des couches, des biberons, des hochets, des bavoirs, des couvertures, une poussette, un siège d'auto, des sucettes. C'est ainsi que ça fonctionne aujourd'hui: il faut se procurer un tas de trucs en prévision de la naissance d'un enfant.

Je rangeai les vêtements fraîchement lavés et autres menus objets dans la chambre jaune miel que nous avions préparée et qui embaumait déjà la poudre pour bébé. En attendant la naissance, je m'amusai à déplacer et replacer les choses.

Nous n'eûmes pas à attendre bien longtemps. Elle vint au monde le jour prévu, par césarienne. Elle avait le visage rouge d'avoir essayé pendant 21 heures de venir au monde par voie naturelle, mais sa tête était merveilleusement bien formée, complètement chauve et, évidemment, d'une beauté parfaite. Trois kilos et demi, quarante-neuf centimètres, 12 h 53 de l'après-midi, le 5 janvier 1980.

Pourquoi ces détails sur les nouveau-nés sont-ils aussi consciencieusement rapportés? Parce que la moindre chose qui concerne un nouvel être est fascinante et importante, voilà pourquoi.

Lorsqu'on la mit dans mes bras, je la regardai, elle ouvrit les yeux et sourit. Je sais, il paraît que les nouveau-nés ne sourient pas. À cela je réponds: «Bah!» À elle, je murmurai: «Bonjour!»

Quelques mois auparavant, mon mari et moi avions dressé une longue liste de prénoms. Après les avoir comparés, en avoir discuté et en avoir éliminé, nous avions décidé que ce serait Katherine pour une fille et Benjamin pour un garçon. Nous désirions aussi lui donner mon nom de fille: Lindsey. Puis, bien sûr, le nom de mon mari: Farris.

Katherine Lindsey Farris.

Lorsque je téléphonai à mes parents pour leur annoncer la naissance de ma fille et leur dire le nom qu'elle allait porter, mon père me demanda de répéter. De sentir mon père à court de mots en cet instant, lui qui était un homme cultivé et éloquent, fut un de mes premiers plaisirs de nouvelle mère.

Quand vint le moment de rentrer à la maison avec ma fille, je la vêtis de la délicate robe qui avait appartenu à mon père, d'un ravissant bonnet et d'une paire de chaussons tricotés qui s'avérèrent beaucoup trop grands pour elle.

Les premiers amis à qui nous annonçâmes la nouvelle nous demandèrent à qui elle ressemblait. Nous répondîmes: «À nous!». Avant cet instant, je n'y avais jamais pensé. Mais dix mois plus tard, quelqu'un d'autre trouva qu'elle nous ressemblait: le juge qui approuva l'adoption.

Judy Farris

«Ma mère n'ira pas à l'hôpital
pour avoir son bébé;
elle va le faire livrer.»

Maman

Ce n'est pas de manière conventionnelle que je suis devenue mère. J'aurais pu décider de tomber enceinte, mais mon mari et moi décidâmes plutôt de commencer notre famille par l'adoption. L'adoption d'enfants qui avaient grand besoin d'un foyer et d'une famille.

Nous savions fort bien que nous allions avoir droit à des airs étonnés et à des questions indiscrètes, mais nous sentions que c'était la bonne chose à faire. Un jour, je donnerai peut-être naissance à un enfant, et je sais que ce sera une expérience formidable et émouvante. Tout comme le soir où je suis devenue mère pour la première fois.

Nous allions adopter deux frères: Jesse, cinq ans, et Mario, quatre ans. Les doutes qui auraient pu persister dans notre esprit s'évanouirent instantanément lorsque nous vîmes en photos ces garçons dans l'état où ils avaient été trouvés, épouvantablement maigres et l'air maladif. Nous les portions déjà dans notre cœur avant de les avoir rencontrés. Cependant, allaient-ils nous réserver la même place dans leur cœur?

Une de mes premières expériences de mère ne fut pas de donner le tout premier bain ou de faire manger mon enfant pour la première fois. Je me retrouvai plutôt assise en tailleur dans le salon d'un étranger à essayer en vain d'assembler deux cubes pour fabriquer un sous-marin en Lego avec un de mes nouveaux fils.

Mes yeux étaient rivés sur le visage de mes deux garçons. Les mains de Mario s'activaient sur le bateau qu'il était en train de construire; de temps à autre, il cessait de jouer pour me regarder et s'assurer que j'étais encore là. Il était terriblement mignon avec ses longs cils et ses grands yeux noisette. J'avais peine à croire qu'il avait quatre ans; il était aussi menu qu'un enfant de deux ans. Je frissonnai en pensant aux photos que j'avais vues de lui et qui le montraient plus jeune. Maintenant, il semblait presque robuste avec ses cuisses rondelettes. Il allait et venait sans arrêt, affairé à nous montrer ses jouets. Il était si heureux, si confiant.

Jesse, par contre, paraissait beaucoup plus vieux que son âge. Il allait avoir six ans dans quelques mois, mais il avait l'air d'un garçon de huit ou neuf ans. Il était très sérieux et extrêmement soucieux du bien-être et du comportement de son frère. Nous l'observâmes; il corrigea son frère à plusieurs reprises durant la soirée et le suivit de près, s'assurant que les étrangers (nous, ses nouveaux parents) ne feraient pas de mal à ce petit frère qu'il avait toute sa jeune vie protégé et élevé.

Jesse nous laisserait-il un jour le relever du rôle parental qu'il exerçait, de façon à se permettre d'être simplement un enfant pour la toute première fois de sa vie? J'espérai que Jesse allait trouver en lui ce dont il avait besoin pour nous faire confiance. Avais-je surestimé mes capacités?

«Maman, me donnerais-tu cette pièce?», dit une petite voix près de moi.

Puis la voix répéta, un peu plus fort.

«Maman, me donnerais-tu cette pièce, s'il te plaît?»

Je me tournai vers Jesse pour lui dire que la mère de sa famille d'accueil venait de quitter la pièce pour quelques minutes, mais je m'interrompis au milieu de ma phrase quand je vis qu'il me regardait.

Maman...?

«Tu... Tu me parles à moi, Jesse?» demandai-je doucement.

Il hocha la tête gravement et pointa quelque chose du
doigt.

«J'ai besoin de la pièce, là, sur la table», dit-il en me
fixant des yeux.

J'étirai le bras derrière moi, pris la petite pièce bleue
que Jesse voulait et la lui tendit. Il sourit.

«Merci», dit-il poliment en plaçant la pièce sur sa
construction.

«Euh... puis-je te serrer dans mes bras? Serais-tu
d'accord?», demandai-je. J'étais très peu sûre de moi.
J'avais l'impression de poser la question à un homme de
30 ans. Mais je voulais tellement que Jesse ait cinq ans.
C'était le moment pour lui d'avoir cinq ans.

Il hésita, puis me regarda. Je voyais bien qu'il y pensait très fort. Pouvait-il m'accorder sa confiance?

Il décida d'acquiescer: «Ouais...», dit-il en déposant
son sous-marin sur le sol.

Je lui tendis les bras, il s'approcha et s'assit sur mes
genoux. J'enroulai mes bras autour de son cou et le tins
aussi près de moi que je le pouvais. Je le sentis mettre ses
bras autour de mon cou et me serrer à son tour.

Durant cet instant, je savais qu'il m'offrait un cadeau:
il me permettait d'être sa mère. Et peut-être que j'allais
pouvoir lui rendre la pareille et lui permettre enfin d'être
un enfant.

Barbara L. Warner

Je ne veux pas
de nouveau bébé

«Je ne veux pas de nouveau bébé.»

C'est ce que mon aîné Brian me répondit quand je lui annonçai que son père et moi allions avoir un troisième enfant. Nous avions déjà survécu à la rivalité entre frères après la naissance de notre deuxième fils, Damian. Maintenant, Brian, âgé de trois ans, exprimait clairement son opinion sur ce nouvel enfant qui allait s'ajouter. Rien, ni la raison ni la logique, ne le faisait changer d'idée.

Incapable de comprendre, je lui posai une question claire: «Pourquoi ne veux-tu pas de nouveau bébé?»

Il me regarda avec de grands yeux tristes et me répondit: «Parce que je veux garder Damian.»

Rosemary Laurey

Garder foi en l'avenir

Lorsque la sonnette d'entrée se fit entendre cet après-midi-là, j'allai répondre à la porte telle une automate. La visite de ce réparateur ne pouvait pas plus mal tomber. J'étais enceinte de cinq mois et je n'avais jamais été aussi à fleur de peau, vivant dans la seule attente d'un appel téléphonique. En fait, la panne de notre système d'alarme ne pouvait pas plus mal tomber, point à la ligne. Nous vivions une période très difficile, mon mari et moi, et nous n'avions surtout pas besoin d'une autre facture de réparation.

Notre situation financière était précaire, car ma grossesse me causait des nausées si débilitantes que j'avais dû cesser de travailler, ce qui entraînait une perte de revenus que nous n'avions pas prévue. C'était pénible, mais nous étions trop emballés par ma grossesse pour nous plaindre. Nous avions essayé pendant un an et demi de concevoir cet enfant; nous avions même fait quelques tests préliminaires en clinique de fertilité, sans résultats concluants. Un mois après ces tests, toutefois, nous avions reçu le coup de fil tant attendu: j'étais enceinte!

Le premier trimestre de ma grossesse s'était bien déroulé, à part les nausées du matin qui m'empêchaient de fonctionner mais que je savais temporaires. J'avais hâte à chaque visite chez mon médecin, sachant que nous en apprenions chaque fois un peu plus sur notre bébé. Quand le médecin m'avait demandé si je voulais passer des tests sanguins facultatifs qui servaient à dépister certaines maladies chez le fœtus, notamment le spina bifida, je n'avais pas hésité à accepter.

Lorsque les résultats étaient arrivés au bureau du médecin, celui-ci nous avait immédiatement téléphoné.

D'un ton professionnel quoique préoccupé, il avait annoncé que les résultats des tests sanguins étaient anormaux, à un point tel qu'ils laissaient poindre la possibilité du syndrome de Down.

Le médecin m'avait donné immédiatement rendez-vous pour une amniocentèse. Mon mari et moi étions nerveux le jour de l'amniocentèse, mais l'examen avait été excitant: le technicien avait fait une échographie et nous avions vu notre bébé bouger pour la première fois. Tout m'avait soudainement paru si réel. Nous allions vraiment être parents, et notre enfant était un garçon! Se pouvait-il que notre bébé ait une terrible maladie? Se pouvait-il?

La réalité nous était tombée dessus quand on nous avait annoncé qu'il faudrait attendre deux semaines avant d'avoir les résultats. On nous avait également prévenus que cette attente allait nous mener au stade limite pour une interruption de grossesse. Cependant, peu importe le diagnostic, l'interruption de grossesse n'était pas une option pour nous.

L'attente avait donc commencé. Jamais deux semaines ne me parurent aussi interminables. J'essayais de m'occuper, de penser à autre chose, mais les paroles du médecin au sujet des résultats «anormaux» me hantaient. C'est durant cette période que notre système d'alarme tomba en panne sans raison apparente. Bien entendu, mon mari, Joe, devait se rendre au travail à tous les jours. Je me sentais seule et impuissante.

Le jour où le réparateur se présenta à la maison, nous étions censés recevoir les résultats de l'amniocentèse. Je n'oublierai jamais à quel point j'étais nerveuse, seule durant toute la matinée à attendre que le téléphone sonne. La maison était silencieuse. À midi, ne pouvant plus tenir, j'avais téléphoné à l'infirmière, qui m'avait dit n'avoir encore aucun résultat.

Nous étions maintenant l'après-midi. Lorsque la sonnette d'entrée retentit, je sursautai, les nerfs à fleur de peau. Sur le pilote automatique, je laissai entrer le réparateur, lui montrai le système d'alarme et m'éloignai aussitôt. Découragée, mes seules pensées furent: «Ça va coûter cher» et «Ça ne pouvait pas tomber à un pire moment». On m'avait toujours enseigné que Dieu faisait les choses «au moment opportun», mais je commençais à en douter.

Environ deux heures plus tard, l'infirmière appela. Dans mon souvenir, cela se passa comme une mauvaise blague: il y avait une bonne et une mauvaise nouvelles.

La bonne nouvelle, c'était que notre fils n'avait pas le syndrome de Down. La mauvaise, c'était que deux de ses chromosomes étaient joints. L'infirmière m'expliqua: si Joe ou moi avions la même anomalie, notre fils serait normal. Cependant, si aucun de nous deux ne présentait ce trait, cela signifiait que quelque chose manquait dans le bagage génétique de notre fils.

«Quelque chose qui manque?», dis-je en m'efforçant de ne pas hurler. «Comme quoi? Qu'est-ce que ça veut dire?»

«Je suis désolée, Mme Horning, il n'y a aucun moyen de le savoir avant la naissance. Pour le moment, la meilleure chose à faire est de venir tout de suite, vous et votre mari, pour un autre test sanguin.»

«Tout de suite? Nous pourrons savoir aujourd'hui?»

«Nous pourrons faire un test aujourd'hui. Les résultats, nous les aurons dans cinq jours.»

Cinq jours?

C'est à ce moment que je perdis le contrôle. Je devins hystérique. Je ne me rappelle pas avoir autant crié et pleuré au cours des 34 années de mon existence. J'avais l'impression qu'on venait de m'assener un coup de poing dans le ventre et qu'on m'avait laissée tout juste le temps de retrouver mon souffle avant de m'en assener un autre.

Je me souviens d'avoir téléphoné, encore hystérique, au bureau de Joe.

«Colleen, ma chérie, écoute-moi. Je veux que tu ailles chez le voisin d'à côté, d'accord? Colleen? Je vais rentrer aussitôt que je pourrai, mais je ne veux pas que tu restes seule à la maison.»

Toutefois, ses paroles et ses conseils ne réussirent pas à apaiser la panique qui s'était emparée de moi. Je raccrochai.

Assise près du téléphone, à bout de souffle, je me rendis compte que le réparateur était encore dans la maison. Je ne pouvais croire qu'il avait tout entendu! Dépitée, je sentis que je devais m'excuser. Sanglotant, je me rendis dans la pièce où il se trouvait.

Il se tenait près de la porte d'entrée, comme s'il m'attendait. Avant que je puisse dire quoi que ce soit, il me fit m'asseoir. «Assoyez-vous. Prenez le temps de vous asseoir et de reprendre votre souffle.»

Ses directives claires et son ton doux trouvèrent un écho en moi. Après m'être assise et avoir pris une grande respiration, je me sentis plus calme.

Cet étranger s'assit juste en face de moi. D'une voix apaisante, il me raconta que sa femme et lui avaient perdu leur premier enfant. Le bébé était mort-né parce qu'on n'avait pas diagnostiqué le diabète de son épouse pendant la grossesse.

Il expliqua ensuite que cette perte avait été très difficile à accepter, mais qu'ils avaient ensuite lâché prise et compris qu'ils n'y pouvaient rien.

Il me regarda et me dit: «Je comprends à quel point vous avez mal en ce moment. Mais vous ne pouvez rien faire d'autre que d'avoir confiance et d'accepter le fait que vous n'y pouvez rien. Plus vous essayerez de vous accrocher et de contrôler l'issue de la situation, plus vous vous sentirez démolie par votre incapacité d'y changer quoi que ce soit.»

Il me prit la main et me dit que leur deuxième enfant était né il y a quelques mois. Cette fois, il n'y avait eu aucun problème. Lui et sa femme avaient le bonheur d'élever une belle petite fille en santé.

Il admit penser encore à son premier enfant, un petit garçon, mais il savait que le destin en avait décidé autrement, pour une raison qu'il ignorait. Il me pria de garder foi en mon bébé; selon lui, les choses allaient s'arranger.

Puis, aussi tranquillement qu'il avait raconté son histoire, il se leva, se rendit au vestibule, se tourna vers moi et me dit qu'il avait terminé son travail, que le système d'alarme fonctionnait.

Il m'avait aidé comme personne ne l'aurait pu. Que pouvais-je bien lui dire? La seule chose qui sortit de ma bouche fut un humble merci.

Je me souvins alors que je ne l'avais pas payé.

Il me sourit et répondit que je ne lui devais rien. Tout ce qu'il voulait, c'était que je garde foi en l'avenir.

Finalement, le réparateur n'aurait pas pu mieux tomber.

Colleen Derrick Horning

---

* NOTE DE L'ÉDITEUR: Le fils de Colleen et Joe est né quatre mois plus tard. Il pesait plus de 4 kg. Il se porte comme un charme.

Un trésor sans prix

J'avais attendu ce moment pendant presque cinq ans. Cinq ans à supporter l'absence d'enfant dans notre vie, à assister aux fêtes d'enfants des autres et à répondre à la sempiternelle question (bien intentionnée, je sais): «Alors, es-tu enceinte?»

Je désirais un bébé à moi et mon désir se réalisait enfin. Notre enfant allait arriver d'ici peu. Mon mari et moi attendions avec impatience, le cœur battant. Notre fils serait bientôt ici! On nous avait dit que ce serait un garçon. Notre fils à nous. Quel bonheur!

Des années auparavant, avant de savoir que notre désir d'un enfant se transformerait en une longue et pénible quête, j'avais choisi un prénom de garçon. Je ne sais pourquoi, nous avions été incapables de trouver un prénom de fille. Cependant, un prénom masculin nous était tout de suite venu à l'esprit, sans hésitation. Notre fils s'appellerait Nathan Andrew, qui signifie «cadeau de Dieu» en hébreu. Je ne connaissais pas la signification de ce nom lorsque je le prononçai pour la première fois, histoire de voir comment il sonnait. J'aimais tout simplement sa sonorité, ses syllabes à la fois douces et masculines. J'avais choisi le prénom de mon fils bien avant qu'il soit conçu, lorsqu'il n'était qu'un désir profondément enfoui dans mon cœur. Quand j'appris sa signification, je fus doublement séduite. Quel prénom parfait pour ce merveilleux présent que Dieu nous offrait!

Maintenant, nous attendions que Nathan Andrew arrive. Les mois et les années difficiles que nous avions vécus ne seraient bientôt qu'un pâle souvenir.

Une voiture arriva et se gara en face de la maison. Nous nous collâmes contre la fenêtre pour observer la dame qui descendit de la voiture avec un siège d'auto pour bébé recouvert d'une petite couverture. Pendant qu'elle s'approchait de la maison, je retins mon souffle, mes yeux rivés sur le petit paquet bien enveloppé qu'elle portait. J'allais bientôt tenir mon bébé dans mes bras. Oui, Dieu avait choisi de répondre à notre prière par l'adoption.

La scène se déroula ensuite au ralenti, et des questions surgissaient dans mon esprit à la vitesse de la lumière. Qu'en était-il de la toute jeune femme qui lui avait donné naissance? Et du jeune homme qui était son père? Que faisaient-ils ce jour-là?

Il avait suffi d'un moment de passion pour déclencher une série d'événements dont le résultat final était cet enfant innocent. Je pensais aux discussions déchirantes qui avaient dû avoir lieu chez les parents de ces deux adolescents quelques mois après ce bref moment de passion.

Elle aurait très bien pu se faire avorter. Cela aurait probablement été plus facile que d'être mère célibataire à 16 ans. Cela aurait été plus facile que de voir la peau fraîche et jeune de son ventre s'étirer jusqu'à présenter des vergetures, ces cicatrices permanentes de la grossesse. Cela aurait été plus facile que de vivre la douleur de l'enfantement alors qu'elle était encore une enfant elle-même. Cela aurait été plus facile que de passer neuf mois à porter un bébé dans son corps, à sentir ses mouvements et ses hoquets, à entendre son cœur battre, pour finalement lui dire adieu tout de suite après sa naissance.

Je pensais à cette jeune fille de dix ans ma cadette. Elle vivait quelque part dans cette ville. Elle récupérait de l'accouchement de son fils qui n'était déjà plus son fils. Son système hormonal devait se déchaîner en elle. Les larmes devaient lui venir facilement. Et ses bras étaient vides.

Après neuf mois d'attente, elle avait mis au monde un petit garçon. Après cinq ans d'attente, nous prenions ce petit garçon pour lui donner la vie qu'il méritait. Nous allions être sa mère et son père. Nous allions l'aimer et répondre à ses besoins physiques, affectifs et spirituels d'une façon dont cette jeune fille n'était pas encore capable.

Le regard brouillé par les larmes, je remerciai cette étrangère dont l'enfant allait devenir le mien. Elle l'avait porté et nourri de son corps, elle avait enduré la douleur de l'accouchement et elle garderait à jamais les cicatrices de sa maternité. Après tout cela, elle m'avait donné son fils.

J'étais la mère de cet enfant maintenant et pour le reste de sa vie. J'enlevai le drap qui recouvrait, à la façon d'une tente, la poignée du siège d'auto, et je vis le visage de mon fils. Ses grands yeux gris cerclés de cils noirs très fournis me fixèrent. Je touchai ses orteils et ses doigts minuscules et parfaits. Il était magnifique!

Le cœur débordant de gratitude, je murmurai «Merci» non seulement à Dieu qui nous envoyait un fils en réponse à nos prières, mais aussi à cette jeune fille que je ne connaîtrais jamais. Une fille dont le cadeau fut un trésor sans prix. Je te remercie.

Sandra Julian

Je t'ai choisie

Tu n'es pas la chair de ma chair
Ni le sang de mon sang,
Mais par miracle tu es mien.
N'oublie jamais, pas même un instant,
Que si je ne t'ai pas porté dans mon ventre,
Je t'ai porté dans mon cœur.

Anonyme

C'était mon histoire préférée parmi toutes celles que ma mère me racontait. «Nous avions veillé sur les enfants des autres pendant des années, mais ils finissaient toujours par devoir retourner auprès de leurs parents. Après tout ce temps, nous voulions un bébé à nous, un enfant que nous garderions pour toujours.»

J'étais habituellement assise sur les genoux de ma mère quand elle me racontait cette histoire, mais en grandissant je pris l'habitude de m'asseoir en face d'elle pour observer son visage. J'avais vu dans l'album de photos certains de ces enfants qu'elle avait pris en famille d'accueil: des enfants noirs, bruns, blancs, l'air mélancolique, le regard rivé sur l'appareil, la joue appuyée contre le chien. Puis, sur les pages plus récentes de l'album, riant aux éclats devant la caméra, se tenait un gros bébé heureux. C'était moi.

L'histoire de ma mère continuait ainsi: «C'était en novembre 1947, glacial cette année-là, le plus froid en fait depuis plus de 100 ans. Le train était déjà en gare, crachant de gros nuages de vapeur, lorsque nous sommes arrivés. Nous ne nous étions pas éloignés de la maison depuis des années, à cause de la guerre; nous étions donc très excités à l'idée de faire un voyage en train. Même le froid ne nous dérangeait pas. Tout était si beau. Le pays en entier semblait figé sous le froid et la neige.»

Ma mère faisait toujours une pause à cet endroit de l'histoire, le sourire aux lèvres. Moi, j'imaginais la scène: un pays enchanté enseveli sous la neige, une multitude d'arbres aux branches glacées, de longs glaçons suspendus aux corniches des maisons, un train aux vitres givrées.

«Finalement, nous sommes arrivés à destination. Nous avons ensuite pris l'autobus jusqu'à une grande maison. La directrice nous attendait et nous a offert une tasse de thé pour nous réchauffer. Puis elle nous a fait visiter l'endroit. Il y avait des douzaines et des douzaines de bébés. Des salles pleines de bébés! Des garçons et des filles, aux cheveux blonds, aux cheveux noirs. Certains avaient les yeux bleus; d'autres, comme toi, avaient les yeux bruns. Nous avons regardé les enfants pendant un long moment; ils étaient si nombreux, et beaucoup d'entre eux étaient réellement mignons. Ton père et moi ne savions vraiment pas comment faire pour choisir.»

Si j'étais assise sur ses genoux à ce moment-là de l'histoire, elle me serrait contre elle et m'embrassait sur la tête. Si j'étais assise en face d'elle, elle me regardait d'un air lointain et illuminé par le souvenir. Je me tortillais alors, impatiente d'entendre la suite.

«Puis, nous sommes entrés dans une autre salle et là, dans le deuxième berceau, nous t'avons vue. Tu nous regardais comme si tu nous avais attendus toute ta vie. Nous avons tout de suite su que tu étais celle que nous voulions, celle que nous attendions nous aussi depuis longtemps! Avec ta peau dorée et ton épaisse chevelure noire, tu étais la plus belle de tout l'orphelinat. On nous a alors dit que tu t'appelais Susan et que tu étais âgée de quatre mois.

«"Celle-là?", nous a demandé la directrice. Nous avons répondu: "Oui, absolument." Nous t'avons alors enveloppée dans une couverture, puis nous sommes retournés à la gare. Dans le train, les gens s'arrêtaient: "Quel beau bébé! Il est à vous?". Nous leur répondions: "Oui, nous venons juste d'aller la choisir."

«"Eh bien, il ne fait pas de doute que vous avez fait le meilleur choix", disaient-ils. "Oh oui! Tout à fait!", répondions-nous.»

Je me blottissais alors contre maman, les orteils recroquevillés. Je me sentais vraiment spéciale. Parfois, même, je me trouvais chanceuse comparativement aux enfants qui étaient nés de la manière habituelle. Pendant des années, chaque fois que nous prenions le train, je voyais des couples chuchoter autour de nous et je me disais qu'ils allaient quelque part choisir leur bébé bien à eux.

Nous t'avons choisie sont sûrement les mots les plus tendres qui soient.

Sue West

6

LES BEAUX MOMENTS

Tissez avec vos enfants
la toile de vos souvenirs,
Montrez-leur que vous les aimez
en leur donnant du temps;
Car rien, ni jouets ni babioles,
ne peut remplacer
ces précieux moments
que vous passez avec eux.

Elaine Hardt

Danse avec moi

Quand on est jeune et qu'on rêve à l'amour et au bonheur, on s'imagine des clairs de lune au-dessus de Paris ou des promenades sur la plage au crépuscule.

Personne ne nous dit que les plus beaux moments de la vie sont souvent fugaces, qu'ils surviennent à l'improviste et nous prennent presque toujours par surprise.

Il n'y a pas si longtemps, alors que je lisais une histoire à ma fille de sept ans, Annie, je sentis qu'elle me regardait fixement. Son regard était lointain, comme si elle était en pleine réflexion. De toute évidence, la lecture de la fin de mon histoire avait perdu de son importance.

Je lui demandai à quoi elle pensait.

«Maman», chuchota-t-elle, «je ne peux m'empêcher de regarder ton beau visage.»

J'eus l'impression de fondre sur place.

Elle ignorait à ce moment combien ces petits mots d'amour sortis tout droit de son cœur me permirent de surmonter les épreuves au cours des années.

Peu de temps après, je me rendis dans un chic magasin à rayons avec mon fils de quatre ans. À l'intérieur, la douce mélodie d'une chanson d'amour bien connue nous attira vers un musicien, vêtu d'un toxedo et assis à un piano à queue. Sam et moi prîmes place sur un banc en marbre situé tout près; mon fils semblait aussi captivé que moi par la mélodie bien rythmée.

Avant que je me rende compte de quoi que ce soit, Sam se leva, se tourna vers moi, prit mon visage entre ses menottes et me dit: «Danse avec moi.»

Si seulement ces femmes, qui se promènent sous le clair de lune de Paris, savaient le bonheur qu'on éprouve à se faire inviter à danser par un petit garçon aux joues rondes qui a encore ses dents de bébé! Même si les gens autour gloussaient, souriaient et nous pointaient du doigt pendant que nous glissions et virevoltions sur le plancher de l'atrium, je n'aurais pour rien au monde échangé cette danse que j'accordais à un si charmant jeune homme.

Jean Harper

Le dîner de famille

Je regardai mes jumeaux adolescents et la moutarde me monta au nez. Lui avait des pantalons trop grands, des cheveux orangés et des boucles d'oreille. Elle portait un anneau dans le nez, un faux tatouage et des ongles de sorcière. C'était Pâques et nous nous préparions pour aller chez la parenté...

Que dirait la parenté? J'entendais déjà les chuchotements des oncles et des tantes, leurs regards en coin, leurs «tss-tss», leurs hochements de tête. J'aurais pu apostropher mes jumeaux avant de partir, là, sur le pas de la porte. J'aurais pu les menacer, les tourner en ridicule, les confiner dans leurs chambres. Et puis quoi? C'était fête et je n'avais pas le cœur à me disputer ni à dire des gros mots.

Cela aurait été plus facile s'ils avaient eu, disons, neuf ans. «Retournez dans votre chambre et habillez-vous convenablement!», aurais-je alors ordonné. Mais ils en avaient 16 et leurs vêtements étaient, du moins à leurs yeux, tout à fait respectables.

Nous partîmes donc chez la parenté. Je m'étais préparée aux regards, mais il n'y en eut aucun. Je m'étais préparée aux chuchotements, mais il n'y en eut aucun. Mes enfants s'attablèrent (l'air un peu embarrassés) parmi les vingt autres convives, juste à côté des cousins dont la mise impeccable jurait avec la leur. Ils participèrent à la célébration et chantèrent les chansons de circonstance. Mon fils aida les plus jeunes à lire. Ma fille aida à desservir entre les services. Ils rirent, firent des blagues et donnèrent un coup de main aux plus âgés.

En observant leur beau visage, je compris que l'opinion des autres à leur égard n'avait aucune espèce d'importance. Parce qu'à mes yeux, ils étaient sensationnels. Ils perpétuaient nos traditions avec amour et enthousiasme. Ils le faisaient tout naturellement, avec cœur.

Assise en face d'eux à table, je les observai. Je savais que leurs cheveux, leurs vêtements informes et leurs faux tatouages n'étaient que les symboles d'une identité provisoire. Cet aspect de leur vie changerait avec le temps. Ce qui resterait à jamais en eux, toutefois, c'était leur participation aux chants et aux célébrations que nous faisions, leur conscience de notre union familiale. Je savais que rien de cela ne changerait en eux avec le temps.

Bientôt, la fête de Pâques serait terminée. Mes deux ados allaient retourner à leur musique trop forte, à leurs amis et à leur vie décousue. Je ne voulais pas que la fête se termine. Ce genre de soirée fait partie des beaux moments qui se nichent dans le cœur d'une mère. L'âge qu'ont nos enfants n'y change rien. Parfois, un petit sourire moqueur ou un simple geste suffisent pour faire naître un sentiment d'amour inconditionnel.

Je regardais mon fils et ma fille et je sentais qu'ils étaient sereins et heureux. J'eus envie de me lever et de les serrer dans mes bras, de leur dire à quel point ils étaient des enfants extraordinaires. Mais je n'en fis rien. J'eus envie de m'approcher d'eux, de leur pincer les joues comme je le faisais quand ils avaient neuf ans, de leur dire combien je les trouvais beaux. Mais je n'en fis rien. Au lieu de cela, je restai assise à ma place à chanter, manger et bavarder avec les autres.

Plus tard, sur le chemin du retour, je le leur dirai, songeai-je. Seule avec eux, je leur dirai à quel point leur présence à cette table était importante pour moi. Je leur dirai à quel point ils sont de bons enfants et à quel point je suis fière d'être leur mère. Tantôt, lorsque nous serons seuls, me dis-je, je leur dirai à quel point je les aime. Et c'est ce que je fis.

Shari Cohen

Excellent pronostic

Une jeune femme, qui vient de recevoir des traitements contre un cancer curable, reçoit son congé de l'hôpital et retourne chez elle, embarrassée par la perte de cheveux qu'a entraînée la radiothérapie. Au moment où elle s'assoit au comptoir de la cuisine, son fils se pointe et l'examine avec curiosité.

La mère, qui s'est préparée à cela, explique à son fils pourquoi elle a perdu ses cheveux. Pendant qu'elle continue de lui parler, le petit garçon s'approche d'elle et monte sur ses genoux. Il appuie la tête contre sa poitrine, sans bouger.

«Un jour, bientôt j'espère, je retrouverai mon apparence d'avant et tout ira mieux», conclut-elle.

Le bambin reste assis sur les genoux de sa mère, l'air songeur. Puis, avec toute la franchise dont un enfant de six ans est capable, il déclare: «Les cheveux sont pas pareils, mais le cœur est pareil.»

La mère n'a plus eu à se dire qu'«un jour» elle irait mieux. Elle se sentait déjà beaucoup mieux.

Rochelle M. Pennington

**«Si ce vêtement plaît à mes parents,
pourrai-je l'échanger?»**

Ma fille, mon professeur

Les enfants réinventent votre univers pour vous.

Susan Sarandon

Chaque jour, les enfants nous apprennent quelque chose. C'est ce que m'a appris mon expérience de parent. Même que, parfois, les choses que m'enseigne ma fille m'étonnent.

Quand elle avait six mois, Marissa passait son temps les yeux levés vers le ciel. En faisant comme elle, j'ai découvert la magie des feuilles qui dansent dans les arbres et la taille impressionnante des avions à réaction.

À huit mois, elle regardait sans cesse le sol. En faisant comme elle, j'ai appris que chaque caillou est différent, que les fissures des trottoirs forment des motifs complexes et que l'herbe peut prendre d'innombrables nuances de vert.

Puis, à onze mois, Marissa a commencé à dire «Wow!» Elle prononçait ce mot devant tout ce qui était nouveau et merveilleux à ses yeux, par exemple devant la grosse boîte de jouets qu'elle repérait chez le pédiatre, ou alors devant l'accumulation des nuages avant l'orage. Pour les choses qui l'impressionnaient réellement, comme un vent froid sur son visage ou des outardes qui passent en formation au-dessus de sa tête, elle lâchait un «Oh, wow!»

Puis il y avait le «Wow» ultime, celui qu'elle articulait sans émettre le moindre son, réservé aux événements incroyables pour elle, par exemple un coucher de soleil sur le lac au terme d'une magnifique journée, ou un feu d'artifices illuminant le ciel d'été.

Marissa m'a aussi enseigné plusieurs façons de dire «Je t'aime». Une fois, par exemple, quand elle avait quatorze mois, elle a prononcé clairement ces mots: collée contre moi, sa tête enfouie dans mon cou, elle a dit «contente» en poussant un soupir de satisfaction. Une autre fois (durant cette étonnante période du non que traversent les enfants de deux ans), elle a pointé du doigt la photo d'un superbe mannequin en page couverture d'un magazine et elle a dit: «C'est toi, maman?»

Plus récemment, ma fille, qui a maintenant trois ans, est entrée dans la cuisine pendant que je rangeais la vaisselle du souper: «Je peux t'aider, maman?» Peu de temps après, elle a posé sa main sur mon bras et a dit: «Maman, si tu étais petite, nous serions amies.»

Dans des moments pareils, tout ce que j'arrive à dire, c'est «Oh, wow!»

Janet S. Meyer

Le premier mai

M. Kobb emballa la demi-douzaine d'œillets dans une pellicule de plastique, après y avoir ajouté quelques touches de vert et de minuscules œillets d'amour blancs. Il eut même la gentillesse d'orner d'une boucle ce cadeau que j'allais offrir à ma mère pour le 1er mai.«Comment les apporteras-tu à la maison, Ernie?», me demanda-t-il.

«Je vais les transporter.»

«À bicyclette? Par un temps pareil?»

Je fis oui de la tête. Par la vitrine de la boutique, on voyait les arbres ployer, fouettés par les bourrasques.

«Je vais te faire un emballage plus solide, d'accord?» Il prit les fleurs et les enroula dans deux épaisses feuilles de papier brun. En me tendant le paquet, il me dit: «Bonne chance, mon gars.»

«Merci», répondis-je. Je plaçai le bouquet à l'intérieur de mon blouson et remontai la fermeture éclair aussi haut que je pus. Les pétales me chatouillaient le cou et le menton, mais je savais que les fleurs ne supporteraient pas le voyage si je prenais l'emballage dans ma main qui devait tenir le guidon. Je ne connaissais pas grand-chose aux fleurs, mais je savais que ma mère méritait mieux qu'un bouquet de fleurs abîmées.

Ce jour-là, le vent était plus que du vent. C'était un souffle qui vous soulevait et vous projetait deux rues plus loin. Il était difficile de rouler contre ce vent. Je sentais bel et bien mes pieds pédaler, mes mains s'agripper au guidon, mes poumons s'emplir d'air et le vent me fouetter le visage; pourtant, quand je levais les yeux, je me trouvais toujours devant le même magasin, au coin de la même rue. C'est du moins l'impression que j'avais.

Mon nez coulait, mais je n'avais pas de mouchoir pour l'essuyer. Mes lèvres commençaient à gercer. J'avais mal aux oreilles, comme si quelqu'un m'enfonçait des cure-dents dans les tympans. Mes yeux étaient si secs que j'arrivais à peine à cligner. Chaque muscle de mon corps me faisait souffrir.

Le soleil commença à descendre et la rue devint de plus en plus bondée de voitures. J'avais peur de me faire frapper par une auto, car le vent me poussait hors de la piste cyclable et me faisait dévier toujours davantage vers la rue. À un moment donné, un chauffeur de camion donna un coup de volant pour m'éviter et klaxonna. Puis, un homme dans une Cadillac me cria par sa fenêtre de ramener mes vous-savez-quoi à la maison.

Il faisait nuit lorsque j'arrivai près de chez moi. Mes parents devaient être morts d'inquiétude. Je cherchai des yeux la mini-fourgonnette de papa ou la familiale de maman. Ils sont sûrement partis à ma recherche, pensai-je. D'un instant à l'autre, ils me trouveront, arrêteront la voiture, me feront monter à bord avec ma bicyclette et mes fleurs, et me ramèneront en toute quiétude à la maison. Mais plus je roulais sans apercevoir les phares de leur voiture, plus je sentais monter en moi la colère.

Après tout, c'était pour maman que je faisais cette stupide randonnée en vélo. Le moins qu'elle pouvait faire, c'était de me sauver la vie.

À quatre pâtés de maisons de chez moi, épuisé, j'arrêtai et sortis les fleurs de mon blouson. J'avais envie de les balancer dans le vent. Maman ne les méritait plus.

La vue des œillets blancs m'empêcha de passer aux actes. Certes, ils avaient perdu un peu de leur fraîcheur, et les œillets d'amour étaient ratatinés, mais le bouquet dans son ensemble avait encore fière allure. J'avais fait tant d'efforts pour amener le bouquet jusqu'à ce point, il serait idiot de m'en débarrasser maintenant, songeai-je.

Je pris entre mes dents les tiges enveloppées dans le papier d'emballage et recommençai à rouler, très lentement, pour que le vent ne les abîme pas. Bientôt, j'arrivai à la côte qui descendait jusqu'à chez moi. Je gardai les pieds bien fixés sur les pédales et les mains agrippées aux poignées de frein. En pure perte: avec le vent qui me poussait dans le dos, je distinguai à peine les maisons des voisins lorsque je dévalai la côte. J'essayai alors de freiner pour m'engager dans l'entrée de la maison.

Ma bicyclette dérapa et je tombai. Après une glissade d'au moins un mètre, j'atterris dans l'entrée et m'arrêtai seulement lorsque ma tête frappa l'herbe molle de la pelouse avant de la maison. Les fleurs s'éparpillèrent un peu partout sur la pelouse, perdant leurs pétales qui s'envolèrent comme des confettis.

Sans me soucier de mes éraflures, je me précipitai pour sauver ce que je pouvais du bouquet dispersé sur la pelouse. Je récupérai les six tiges, au bout desquelles il ne restait plus grand-chose, puis je les attachai du mieux que je pus avec la boucle.

Maman sortit en trombe de la maison, inquiète du boucan qu'elle avait entendu. Je cachai les fleurs derrière mon dos.

«Ça va?», me demanda-t-elle en scrutant mon visage pour voir si j'étais blessé sérieusement.

«Ça va», répondis-je à travers la boule que j'avais dans la gorge.

«Tu es certain?», insista-t-elle. «Pourquoi caches-tu tes mains?»

«Mes mains vont bien, regarde», dis-je en lui tendant les restes de ce qui avait été un joli bouquet. «Je t'offrirai autre chose», bredouillai-je en sanglotant.

Maman prit les fleurs que mes mains gelées tenaient encore et elle les huma si longtemps que je crus qu'elles allaient s'enfoncer dans son nez. Après un long moment, elle leva la tête. Elle pleurait elle aussi.

«Je les adore! Merci!»

Soudain, je me rappelai pourquoi j'avais acheté ces fleurs. Ce n'était pas seulement pour souligner la fête du 1er mai. C'était parce que maman trouvait toujours le moyen de me montrer à quel point elle m'aimait, quoi qu'il arrive. Mes fleurs étaient toutes abîmées; pourtant, entre ses mains, elles n'avaient rien perdu de leur éclat ni de leur beauté.

Ernie Gilbert
Tel que raconté par Donna Getzinger

Des yeux d'enfant

Mon enfant prend un crayon
Dans sa petite main
Et, sans y penser,
Elle commence un dessin.

Je l'observe en souriant,
Mais je suis incapable de deviner
À quoi aboutiront
Ces quelques lignes gribouillées.

«Que dessines-tu?»,
Que je lui demande spontanément.
«Je fais un dessin
De Dieu dans le firmament.»

«À quoi Dieu ressemble, lui dis-je,
Personne n'en a la moindre idée.»
À cela elle répond tranquillement:
«Ils le sauront lorsque j'aurai terminé.»

Sherwin Kaufman

Le jour où j'étais trop occupée

«Maman, regarde!», me cria ma fille, Darla, en pointant du doigt un oiseau de proie qui virevoltait dans le ciel.

«Ouais», murmurai-je pendant que je conduisais et songeais à l'horaire chargé qui m'attendait ce jour-là.

Son visage exprima le désappointement.

«Qu'est-ce qu'il y a, ma chérie?» demandai-je d'un ton machinal.

«Rien», répondit ma fillette de sept ans. Trop tard, je venais de rater une occasion. En approchant de la maison, je ralentis et nous cherchâmes du regard le cerf albinos qui parfois, en début de soirée, surgissait du boisé. Mais il resta caché.

«Il doit être très occupé ce soir», dis-je.

Le souper, les bains et quelques coups de fil m'occupèrent jusqu'au moment de mettre ma fille au lit.

«Allez, Darla, c'est l'heure du dodo.» Elle me dépassa en courant dans l'escalier. Fourbue, je l'embrassai sur la joue, lui fit réciter sa prière et la bordai.

«Maman, j'ai oublié de te donner quelque chose!» s'exclama-t-elle. J'étais à bout de patience.

«Tu me le donneras demain matin», répliquai-je, mais elle insista.

«Tu n'auras pas le temps demain matin!», répondit-elle.

«Je prendrai le temps», lui dis-je, sur la défensive. Parfois, malgré mes efforts, le temps me file entre les doigts comme le sable dans un sablier. Je manque toujours de temps. J'en manque pour ma fille, j'en manque pour mon mari et, bien sûr, j'en manque pour moi.

Elle refusa de lâcher prise. Elle plissa de colère son petit nez couvert de taches de rousseur et secoua vers l'arrière ses cheveux bruns.

«Je suis certaine que tu ne prendras pas le temps! Ce sera comme aujourd'hui quand je t'ai demandé de regarder l'oiseau. Tu ne m'écoutais même pas.»

J'étais trop fatiguée pour argumenter, surtout qu'il y avait beaucoup de vrai dans ce qu'elle disait.

«Bonne nuit!» Je sortis de sa chambre en claquant la porte.

Plus tard dans la soirée, cependant, je revis son regard gris-bleu et je songeai au peu de temps qui nous restait avant qu'elle devienne adulte et quitte la maison.

«Pourquoi as-tu l'air si maussade?», me demanda mon mari.

Je lui racontai ce qui s'était passé.

«Peut-être qu'elle ne dort pas encore. Va donc jeter un coup d'œil», me dit-il avec l'assurance d'un père qui sait ne pas se tromper. Je suivis son conseil en me reprochant de ne pas y avoir pensé moi-même.

J'entrouvris la porte de sa chambre. Dans la faible lumière qui entrait par la fenêtre, je vis qu'elle dormait et qu'elle avait dans la main les restes d'un bout de papier. Doucement, j'ouvris la paume de sa main pour voir le papier qui avait donné lieu à notre dispute.

Mes yeux se gonflèrent de larmes. Elle avait déchiré en petits morceaux un gros cœur rouge accompagné d'un poème qu'elle avait écrit et intitulé «Pourquoi j'aime ma mère!»

Précautionneusement, je retirai de sa main tous les morceaux de papier. Une fois les morceaux remis en place, je lus ce qu'elle avait écrit:

Pourquoi j'aime ma mère!

Même si tu es très occupée et que tu travailles fort,
Tu prends toujours le temps de jouer;
Je t'aime, chère maman,
car c'est moi qui occupe le plus tes journées chargées!

Ces mots me transpercèrent le cœur telle une flèche. Elle n'avait que sept ans, mais elle avait déjà la sagesse du roi Salomon.

Dix minutes plus tard, j'apportai dans sa chambre un plateau sur lequel j'avais posé deux tasses de chocolat chaud garni de guimauves et deux sandwiches au beurre d'arachides et à la confiture. Lorsque je touchai sa joue, si douce, pour la réveiller, je sentis mon cœur exploser d'amour.

En se réveillant, ses cils noirs et épais se mirent à battre comme des éventails au-dessus de ses paupières. Elle regarda le plateau.

«Pourquoi tu m'apportes ça?» demanda-t-elle, surprise de cette visite tardive.

«Je l'ai préparé pour toi, parce que c'est toi qui occupes le plus mes journées chargées!» Elle me sourit et avala d'un air endormi la moitié de son chocolat chaud. Puis elle replongea dans son sommeil, sans vraiment se rendre compte à quel point mes paroles étaient sincères.

Cindy Ladage

En un instant

Pour Will, la question était réglée: le jeans Levi's 501 ordinaire n'était pas assez *cool* pour l'école. Ce qu'il voulait porter, c'était le jeans délavé sale qui était dans la lessive. Nous nous disputâmes lorsque j'insistai pour qu'il porte son jeans 501 propre, puis, vexé, il sortit en trombe de la maison pour ne pas manquer son autobus. Avec tout cela, nous ne pûmes nous embrasser comme nous le faisions toujours avant qu'il parte pour l'école. Je n'étais pas contente de notre dispute, mais en même temps, j'étais fière que mon fils de 10 ans soit si déterminé.

J'étais en retard; il était déjà 7 h 20 du matin et je devais arriver tôt au bureau pour assister à une réunion. Je pris une douche, puis, pendant que je me séchais, on sonna à la porte. J'enfilai le survêtement que je venais tout juste d'enlever et, les cheveux encore dégoulinants, j'ouvris avec hésitation la porte. Je *sentais* que quelque chose n'allait pas.

Une petite fille apeurée, les yeux grands ouverts et à bout de souffle, m'annonça que Will avait été frappé par un camion. Mon cœur cessa de battre. Je restai sans bouger, pétrifiée, jusqu'à ce qu'une explosion en moi me fasse courir jusqu'à l'arrêt d'autobus. Rendue à mi-chemin, je l'aperçus, gisant inerte sur la chaussée. Terrifiée par l'idée de ce qui m'attendait peut-être là-bas, je ralentis momentanément le pas. Puis je l'entendis crier mon nom et sa voix me fit courir comme jamais je ne l'avais fait dans ma vie. Il était couché face contre terre, son étui à trompette à côté de lui. Un voisin bienveillant avait étendu une couverture sur lui.

L'air était frisquet en ce jour du mois de septembre, et la scène de l'accident était baignée de lumière. Le soleil

aveuglant était d'ailleurs en partie responsable de l'accident, ainsi que le conducteur de la camionnette: un adolescent de 16 ans. Il avait fallu un seul instant, un seul
geste, et Will avait été frappé par un camion roulant à
environ 35 km/h. Apparemment, Will avait été projeté à
une hauteur d'environ 3 mètres et avait atterri un peu
plus loin, tombant sur les genoux et sur son étui à trompette. Je remerciai le ciel, d'abord pour tous ces samedis
après-midi où, en jouant au soccer, il avait appris à tomber en minimisant les blessures, ensuite pour cet étui à
trompette qui avait empêché sa tête de percuter le sol.

Will me parlait de manière cohérente et faisait même
des blagues — c'était sa façon de me rassurer. J'éprouvais
une immense crainte, mais je savais que je devais rester
forte et positive. Je pris conscience que j'aurais pu le perdre en un clin d'œil; cependant, il était étendu sur le sol
et me racontait gentiment des anecdotes.

J'entendis le bruit des sirènes. Les policiers arrivèrent les premiers, suivis de peu par l'ambulance. L'examen sommaire des ambulanciers n'indiqua aucune
blessure à la tête, au dos ou aux bras. Lorsqu'un des pom-
piers commença à découper son jeans 501 pour s'assurer
qu'il n'y avait pas de fracture aux jambes, Will lança sur
un ton léger: «Maman, ça m'a tout l'air que je n'aurai plus
jamais à porter ce jeans.» J'éclatai de rire. En entrant
dans l'ambulance avec lui, mon instinct me disait qu'il
s'en sortirait indemne.

Will eut beaucoup de chance. Et moi également. Selon
l'officier de police, c'était un miracle que Will n'ait pas été
blessé gravement ou tué lors de l'accident. Will et moi
passâmes le reste de la journée à la maison à discuter et
à pleurer en se disant des choses importantes: qu'il fallait
faire attention à ceux qu'on aime, qu'il ne fallait jamais se

quitter sans avoir fait la paix, qu'il fallait vivre au moment présent et apprécier la vie.

Pendant que Will se reposait, je lavai le jean délavé qu'il voulait tant porter. Puis, son jeans 501 dans les mains, je pleurai en prenant conscience avec une extraordinaire acuité que la vie pouvait basculer, sans avertissement, en un instant.

Cet accident est survenu il y a sept ans. Et quand j'ai besoin de me ramener à la réalité ou de me rappeler que le temps passé avec nos proches est précieux, je sors du placard son jeans 501, impeccablement découpé.

Daryl Ott Underhill

**«Entre le temps que je passe à l'école
et le temps que je consacre à mes devoirs,
ce n'est pas facile de bien m'occuper
de ma poupée.»**

Quand maman est venue prendre le thé

J'ignorais qu'elle serait là. En fait, j'avais déjà préparé mes excuses pour expliquer son absence.

Quand l'enseignante de mon cours d'économie familiale avait annoncé que l'on organiserait un thé officiel réunissant les mères et leurs filles, j'étais persuadée que ma mère ne viendrait pas à cet événement spécial.

Je n'oublierai donc jamais le moment où je suis entrée dans le gymnase joliment décoré — elle était là! Lorsque je l'aperçus, tranquillement assise et souriante, j'imaginai toutes les dispositions que cette femme remarquable avait dû prendre pour pouvoir être avec moi durant cette rencontre d'une heure.

Qui s'occupait de grand-maman pendant l'absence de ma mère? Victime d'un accident cérébro-vasculaire, ma grand-mère était alitée et c'est maman qui en prenait soin.

Quant à mes trois petites sœurs, je me demandai qui les accueillerait après l'école et s'occuperait de leurs devoirs, étant donné que ma mère ne serait pas rentrée encore lorsqu'elles reviendraient.

Et comment ma mère s'était-elle rendue ici? Nous n'avions pas de voiture et elle n'avait pas les moyens de prendre un taxi. Il fallait marcher une bonne distance pour se rendre à l'arrêt d'autobus à partir de chez nous, sans compter les cinq pâtés de maison pour arriver à l'école.

Et cette ravissante robe rouge à petites fleurs blanches qu'elle portait, une robe tout à fait appropriée pour le thé et qui faisait ressortir les mèches argentées de sa chevelure noire, comment se l'était-elle procurée? Nous n'avions pas les moyens d'acheter une robe pareille, et je pensais qu'elle avait retardé le paiement de la facture de charbon pour l'acquérir.

J'étais si fière! Je lui servis le thé avec bonheur et gratitude et la présentai au groupe lorsque ce fut mon tour de le faire. Ma mère était à mes côtés ce jour-là, comme c'était le cas pour toutes mes camarades de classe, et sa présence compta beaucoup pour moi. La tendresse de son regard me laissa deviner qu'elle comprenait ce que je ressentais.

Je n'ai jamais oublié. Une des promesses que j'ai faites à mes enfants et à moi-même, comme le font toutes les jeunes mères, c'est qu'ils pourront toujours compter sur moi. Cette promesse n'est pas toujours facile à tenir avec le rythme de la vie moderne. Toutefois, j'ai un exemple qui m'empêche de me trouver des excuses: celui de ma mère venue prendre le thé.

Margie M. Coburn

Sa simple présence

Pendant longtemps, mon anniversaire de naissance s'est déroulé de la même façon d'une année à l'autre. Ma mère sonnait chez moi et je lui ouvrais la porte. Elle était là, sur le seuil, tandis que le vent faisait tourbillonner les feuilles à ses pieds.

L'air était frisquet et elle tenait entre ses mains mon cadeau d'anniversaire. Comme toujours, c'était un petit quelque chose de précieux, quelque chose dont j'avais besoin depuis toujours sans le savoir.

J'ouvrais avec soin le présent de ma mère, puis j'allais délicatement le ranger parmi les autres objets chers à mon cœur. Venant de ma mère, ces cadeaux étaient toujours précieux.

Si ma mère pouvait être là aujourd'hui pour mon anniversaire, je la ferais s'asseoir dans la cuisine toute chaude. Et là, nous prendrions le thé en regardant les feuilles virevolter contre la fenêtre.

Je prendrais tout mon temps pour déballer son cadeau, car aujourd'hui, je sais que le vrai présent, pour moi, c'était sa présence dans l'embrasure de la porte.

Christina Keenan

7

LES MIRACLES

Les miracles arrivent spontanément.
On ne peut les provoquer;
ils échappent à notre contrôle
et surviennent de façon inattendue
au moment où on s'y attend le moins...

Katherine A. Porter

Un ange en uniforme

Là où il y a beaucoup d'amour, il y a toujours des miracles.

Willa Cather

Voici une histoire de famille que mon père m'a racontée au sujet de sa mère, c'est-à-dire ma grand-mère.

En 1949, mon père venait tout juste de revenir de la guerre. Sur toutes les routes des États-Unis, on pouvait voir des soldats en uniforme qui faisaient de l'auto-stop pour rentrer auprès de leur famille, comme c'était la coutume à cette époque en Amérique.

Malheureusement, l'excitation que mon père éprouvait à l'idée de revoir sa famille ne dura pas longtemps. Sa mère tomba très malade et dut être hospitalisée. Elle souffrait de problèmes aux reins, et les médecins annoncèrent à mon père qu'elle ne passerait pas la nuit si on ne lui faisait pas immédiatement une transfusion sanguine. Le hic, c'est que ma grand-mère était du groupe sanguin AB-, un groupe toujours très rare aujourd'hui, mais qui était encore plus difficile à trouver à cette époque où il n'y avait pas de banques de sang ou d'envois de sang par avion. On vérifia le groupe sanguin de chaque membre de la famille, mais aucun ne correspondait. Les médecins ne laissaient guère d'espoir à la famille: ma grand-mère était à l'agonie.

En larmes, mon père quitta l'hôpital pour aller rassembler tous les membres de la famille afin que chacun puisse faire ses adieux à grand-maman. En chemin, il croisa un soldat en uniforme qui faisait de l'auto-stop pour rejoindre sa famille. Submergé de chagrin, mon père n'était pas d'humeur à jouer au bon samaritain. Pourtant, quelque chose en lui le poussa à s'arrêter pour faire monter l'étranger dans sa voiture.

Papa était trop bouleversé pour s'enquérir du nom de son passager, mais le soldat, voyant le visage attristé de mon père, lui en demanda la cause. À travers ses larmes, papa raconta à ce parfait inconnu que sa mère hospitalisée se mourait parce que les médecins ne trouvaient aucun donneur de sang du groupe AB-, et que si on ne parvenait pas à trouver ce type de sang avant la tombée de la nuit, elle ne survivrait pas.

Il y eut un long moment de silence dans la voiture. Puis, le soldat dont mon père ignorait le nom tendit la main, paume vers le haut. Dans le creux de sa main se trouvaient les plaques d'identité qu'il portait en collier autour de son cou et sur lesquelles était inscrit son groupe sanguin: AB-. Le soldat dit alors à mon père de faire demi-tour et de l'amener à l'hôpital.

Ma grand-mère vécut 47 autres années, c'est-à-dire jusqu'en 1996, et à ce jour, personne dans la famille ne connaît le nom de ce soldat. Mon père, lui, s'est souvent demandé si c'était un soldat ou plutôt un ange en uniforme...

Jeannie Ecke Sowell

La guérison

Le choc des événements des 30 dernières heures accablait Jim. Il sentait son corps engourdi; c'était comme si la vie continuait sans lui.

Jim et sa femme, Connie, venaient de perdre leur magnifique fils de quatre mois. Le diagnostic préliminaire: SMSN, ou syndrome de mort subite du nourrisson.

Trente heures plus tôt, Jim s'était rendu chez la gardienne pour aller chercher Joshua. Il avait emprunté le trajet habituel, comme il le faisait cinq jours par semaine à chaque semaine... sauf que cette fois, lorsqu'il était arrivé à destination, le petit Joshua ne se réveillait pas de sa sieste. Les heures suivantes s'étaient passées dans la confusion: les sirènes hurlantes, les gestes rapides des ambulanciers, les médecins de l'urgence et les infirmières rassurantes, les mains jointes et les prières, puis la décision de transférer Joshua par avion-ambulance à un hôpital pour enfants situé à 100 kilomètres... tous ces efforts en pure perte. Douze heures plus tard, les médecins avaient épuisé tous les moyens de réanimation. Il n'y avait plus aucune activité cérébrale. On avait décidé de débrancher Joshua des appareils de survie. Le petit Joshua n'était plus. Jim et Connie avaient accepté qu'on prélève les organes sains de Joshua pour le don d'organes. Pour ces parents aimants et généreux, la décision n'avait pas été difficile à prendre.

Puis un nouveau jour s'était levé. Encore des décisions et des dispositions à prendre. Appels téléphoniques et organisation des funérailles. À un certain moment, Jim s'était rendu compte qu'il avait besoin d'une coupe de cheveux, mais comme il était arrivé depuis peu dans cette ville, il ne connaissait aucun salon de coiffure. Son frère lui avait alors proposé d'appeler le salon qu'il fréquentait et de prendre rendez-vous. Il n'y avait plus de places ce jour-là, mais après une brève explication, le propriétaire du salon avait dit à son frère: «Dis-lui de se présenter et on s'occupera de lui.»

Lorsque Jim s'était assis dans un fauteuil au salon de coiffure, il était exténué. Il avait très peu dormi. Il avait beaucoup repensé aux événements des dernières heures, cherchant désespérément à y trouver un sens. Pourquoi Joshua, leur premier-né, cet enfant qu'ils avaient tant désiré, leur avait-il été enlevé si vite... il venait à peine de commencer sa vie... Les questions se bousculaient dans l'esprit de Jim et la douleur occupait toute la place dans son cœur. Il se rappela alors les paroles prononcées par l'aumônier de l'hôpital. «Les voies de Dieu sont impénétrables. Peut-être que Joshua avait déjà accompli sa mission sur cette terre.» Mais ces mots ne parvenaient pas à chasser l'amertume qu'il ressentait.

La coiffeuse exprima ses condoléances, et Jim lui raconta tout ce qui s'était passé au cours des 30 dernières heures. D'une certaine façon, il se sentait soulagé d'en parler. Peut-être qu'en racontant son histoire encore et encore, il parviendrait à la comprendre.

Lorsque Jim parla du don d'organes, il jeta un coup d'œil sur sa montre et se rappela ce qui était probablement en train de se passer à 100 kilomètres de distance... là où il avait fait ses adieux à son fils adoré quelques heures plus tôt. «En ce moment, ils sont probablement en train de transplanter ses valvules cardiaques.»

La coiffeuse s'arrêta tout d'un coup, comme paralysée. Finalement, d'une voix tremblante et à peine audible, elle dit à Jim: «Aussi invraisemblable que cela puisse paraître... il y a environ une heure, une cliente assise dans le même fauteuil que vous m'a demandé de faire vite parce qu'elle devait se rendre à l'hôpital pour enfants. Lorsqu'elle est repartie d'ici, elle rayonnait de bonheur; elle disait que ses prières avaient été exaucées: aujourd'hui, on effectue une transplantation urgente sur le bébé de sa fille... et c'est une transplantation de valvule cardiaque.»

C'est à ce moment que la blessure de Jim commença à se cicatriser.

Sandy Jones

L'adoption d'un rêve

Michael ou Michelle.

C'était les prénoms dont Richard et moi, avant notre mariage, avions convenu pour notre premier enfant. Nous avions tout planifié.

Deux ans plus tard, Richard reçut son diplôme d'études. L'heure était venue de réaliser notre rêve de fonder une famille.

Au cours des deux années qui suivirent, nous priâmes pour que je tombe enceinte. Mois après mois, cependant, la déception était au rendez-vous. Puis, un jour du printemps 1985, convaincue d'être enfin enceinte, j'allai consulter un médecin.

Le sourire aux lèvres, il m'annonça: «Vous êtes enceinte.»

J'eus envie de danser dans le bureau. La date prévue pour l'accouchement tombait la première semaine de novembre, «aux environs du 3» précisa le médecin.

Les six semaines suivantes furent consacrées aux préparatifs. Nous fîmes tout ce qu'il y avait à faire, sauf placer une annonce dans le journal. Richard s'occupait de préparer la future chambre du bébé.

Nous essayions d'imaginer la frimousse de notre enfant. Quant à moi, je pensais constamment au bébé qui se développait dans mon ventre.

«Je n'entends pas le cœur du bébé et cela me préoccupe», me révéla le médecin lors de ma troisième visite prénatale.

Une demi-heure plus tard, je pleurai dans son bureau pendant qu'il m'expliquait que les tests sanguins n'indiquaient aucun signe de grossesse.

«C'est une grossesse nerveuse», dit-il. «Votre esprit désirait tellement une grossesse que votre corps l'a cru.»

Michael ou Michelle n'avait jamais existé. Même s'il n'y avait aucun bébé à pleurer, nous fîmes notre deuil de cette fausse grossesse.

Commencèrent alors dix années pendant lesquelles nous passâmes toutes sortes de tests de fertilité et vîmes avec envie nos parents et amis fonder leur propre famille. Une douleur me transperçait le cœur à chaque sourire forcé que je faisais lorsqu'ils me parlaient de leurs enfants.

Puis il y eut d'autres tests de grossesse. D'autres heures à faire les cent pas et à prier en attendant la nouvelle tant espérée. Mais le résultat était toujours le même: négatif. Notre rêve s'éteignait encore et encore.

Nous nous plongeâmes dans le travail — Richard dans l'enseignement, moi dans l'écriture. Comme notre désir d'avoir un enfant restait toujours aussi vif, nous assistâmes en 1992 à un cours de préparation à l'adoption.

Lorsque j'arrivai au premier cours, je regardai la salle bondée de couples nerveux. Notre rêve allait-il enfin devenir réalité?

J'avais peur d'espérer.

«C'est notre seule chance», chuchota Richard.

Nous commençâmes donc le cours qu'il fallait suivre pour faire une demande d'adoption. Chaque lundi soir, pendant dix semaines, nous écoutâmes, participâmes aux ateliers et discutâmes des joies et des épreuves particulières aux parents de ces enfants qui sont en mal d'un nouveau foyer.

Tout ce travail nous fit revivre la joie de la préparation. Quand notre enfant arriverait-il? Dans quel état nous arriverait-il? Combien de temps nous faudrait-il (et lui faudrait-il) pour que s'établissent entre lui et nous des liens d'attachement? Cet enfant ressemblerait-il à celui dont nous rêvions depuis si longtemps?

Richard et moi préparâmes ensemble la chambre de notre futur enfant. Devions-nous installer une chambre pour bébé ou pour enfant plus vieux? Il y avait tant de choses à préparer et si peu d'informations pour nous guider. Avec amour, je plaçai dans les tiroirs de la commode des bouteilles de lotion et de poudre, des biberons et des livres.

Il m'arrivait souvent de m'asseoir sur le plancher de cette chambre jaune et blanche et de rêver à l'enfant qui y jouerait et dormirait. J'achetai quelques jouets et animaux en peluche. Ils attendraient en silence que des petites mains les prennent.

Puis, le 3 novembre 1993, le téléphone sonna et notre vie fut transformée à jamais.

«Kathy, y a-t-il quelque chose que tu veux pour Noël?», me demanda notre travailleuse sociale.

Je devinai aisément son sourire. Je serrai le combiné du téléphone et murmurai: «Oui».

«Eh bien, j'ai de bonnes nouvelles pour toi.»

Elle me parla alors d'une petite fille de huit mois. Une petite fille! Fallait-il que je me pince pour m'assurer que je ne rêvais pas?

«Elle s'appelle Theresa Michelle. Mais les parents de sa famille d'accueil l'appellent tout simplement Michelle», me raconta-t-elle.

J'étais stupéfaite: Michelle. Huit ans plus tôt, nous avions rêvé de notre Michelle. Puis une autre coïncidence me frappa: nous étions le 3 novembre. Si j'avais eu un bébé au terme de ma grossesse nerveuse, c'est-à-dire en novembre 1985, «aux environs du 3» plus exactement, il serait aujourd'hui âgé de huit ans. Quel cadeau merveilleux Dieu venait de nous offrir, quelle réponse extraordinaire à nos prières!

J'essayai alors d'imaginer la sensation que j'éprouverais en prenant cette petite fille dans mes bras.

Deux semaines plus tard, nous commençâmes notre visite de trois jours auprès de notre fille. Je regardai son visage. Elle souriait et me tendait les bras. Je la pris. Elle sentait le lait et la poudre pour bébé, une odeur aussi délicieuse qu'un bouquet de roses.

Le 23 novembre, Michelle entra enfin dans notre maison et dans notre cœur. Notre amour pour elle grandit à chaque jour qui passe. Elle a maintenant presque quatre ans. Elle adore qu'on lui raconte l'histoire de son adoption et qu'on lui dise à quel point nous l'avons attendue et désirée.

Les espoirs et les rêves n'ont pas besoin de mourir. Nous avons vu le nôtre renaître; il nous appelle maman et papa.

Kathryn Lay

Chéri, tu ferais mieux de t'asseoir

Si vous me posez la question, je vous répondrai que oui, la vie est parfois imprévisible. Par exemple, lors d'une journée comme les autres, un seul coup de fil peut faire basculer votre vie.

Mon mari, Gary, a une vision de la vie quelque peu différente de la mienne. Je suis convaincue que cet homme costaud, bon et doux ignorait dans quelle galère il s'embarquait quand il m'a demandée en mariage. De un, j'étais alors mère de quatre enfants, aujourd'hui adultes; Gary, lui, appartenait à la catégorie des célibataires endurcis. De deux, j'aime parler; lui préfère souvent coucher les choses sur papier (par exemple, sa demande en mariage consistait en un questionnaire à choix multiples auquel était joint un anneau...). De trois, je suis du genre à «prendre les choses comme elles viennent»; lui aime la quiétude de la routine.

Nos différences faisaient en sorte que nous nous complétions, comme on dit, et nous commençâmes dans le bonheur notre vie à deux. Malgré son comportement exemplaire auprès de mes enfants, je me demandais souvent s'il regrettait de ne pas élever son propre enfant. Cependant, il m'avait demandée en mariage en sachant fort bien que j'avais passé l'âge d'avoir des enfants.

Dès les premiers jours de notre vie commune, Gary prit l'habitude de me poser la question suivante en rentrant du travail: «Comment a été ta journée, chérie?» Mes réponses parfois inattendues à cette question semblaient souvent l'amuser. Un jour, après deux ans de mariage, je lui répondis: «Chéri, tu ferais mieux de t'asseoir.»

Ma fille aînée, Mia, qui travaillait tout près de notre domicile en Floride, venait tout juste d'être transférée au Texas par son entreprise. Après ce transfert, elle avait embauché quatre nouveaux apprentis et les avait accompagnés pour un stage de formation de dix jours au siège social de son entreprise, situé à Tampa en Floride. Lorsqu'elle m'avait téléphonée de l'endroit où elle logeait avec ses stagiaires, un motel situé à 40 minutes de chez nous, elle avait perdu son «calme de gestionnaire» habituel.

«Maman, tu n'en croiras pas tes oreilles! C'est une histoire comme celle qu'on entend à l'émission d'*Oprah*!»

«Qu'est-ce qu'il y a, Mia?» Elle venait de piquer ma curiosité.

«Judy, une des jeunes femmes que je viens d'embaucher, n'a pas fermé l'œil de la nuit à cause de douleurs à l'estomac. Nous avons fini par appeler une ambulance. Eh bien, devine! L'hôpital vient de nous contacter: elle a eu un bébé! Personne ne savait qu'elle était enceinte, y compris elle-même!»

«Tu m'en diras tant...» lui avais-je répondu, amusée mais sceptique.

«*C'est vrai!* Quand je l'ai interviewée, elle n'avait vraiment pas l'air d'une femme enceinte. Et je suis convaincue que si elle l'avait su, elle n'aurait pas commencé un nouvel emploi ni accepté de faire un stage de 10 jours si proche de sa date d'accouchement. C'est incroyable. Je m'en vais à l'hôpital.»

Ayant moi-même vécu quatre grossesses très visibles, j'avais tout simplement secoué la tête en riant, puis j'étais retournée à mes occupations.

Aux environs de 16 h, Mia m'avait rappelée: «Maman, tu ne voudras pas le croire. Comme personne au Texas ne savait que Judy était enceinte, elle repart chez elle demain comme si rien n'était.»

«Comme si rien n'était?», avais-je demandé, un brin confuse. «Mais que va-t-elle faire du bébé?»

«Elle va le laisser ici. Elle est certaine que les services sociaux trouveront des parents pour lui.»

J'étais abasourdie. «Voyons donc... on ne peut pas laisser un enfant comme ça. Il risque de se promener de famille d'accueil en famille d'accueil pendant des années! Je préférerais prendre cet enfant plutôt que de le laisser à ce triste sort!»

«Tu préférerais *quoi*, maman?» avait bredouillé Mia.

«Je préférerais, euh... Écoute, va voir cette mère et demande-lui si elle aimerait avoir un nom et un numéro de téléphone où elle pourrait rejoindre son enfant au lieu de le perdre dans le système pour les dix-huit prochaines années.» En prononçant ces paroles, je m'étais rendu compte que c'était follement *impulsif* de ma part. «Je pense que je vais devoir parler à Gary quand il rentrera à la maison...», avais-je ajouté.

C'est ce jour-là que Gary, après m'avoir posé sa question habituelle en rentrant du travail, m'entendit répondre: «Chéri, tu ferais mieux de t'asseoir.»

Je lui racontai tout. Incrédule, Gary répliqua: «Oui, oui, c'est ça... tu penses qu'elle va laisser son enfant et tu crois qu'on pourra l'adopter...»

Curieusement, plus ce geste m'apparaissait absurde, plus j'étais convaincue qu'il s'imposait. «Chéri, dis-je, c'est une occasion comme il ne s'en présente qu'une fois dans une vie. Si Mia n'avait pas été transférée, si elle n'avait pas embauché cette femme-là, si elle ne l'avait pas amenée ici pour dix jours... Voilà un enfant qui t'est offert sur un plateau d'argent. Si tu as déjà désiré avoir un enfant bien à toi, voilà ta seule et unique chance d'en avoir un!»

Déboussolé, il répondit: «Écoute, on ne peut pas prendre une décision aussi importante en quelques minutes!»

Sachant qu'il se levait bien avant moi le matin et qu'il était plus porté à jeter sur papier ses idées lorsqu'il lui fallait prendre de grandes décisions, je lui proposai: «Dors là-dessus et laisse-moi un mot demain matin avant d'aller travailler.»

Le lendemain matin, Gary quitta la maison très tôt, comme d'habitude, mais il ne me laissa aucune note. J'étais déçue, car je me sentais plus convaincue que jamais que c'était l'unique chose à faire, que le destin en avait décidé ainsi!

Toujours est-il qu'à neuf heures ce matin-là, le téléphone sonna. «Bonjour Sherrie! Je m'appelle Sue. Je suis travailleuse sociale à l'hôpital. Je viens de parler à la mère et elle accepte que vous preniez le bébé. Ça vous dirait de venir le chercher tout de suite?»

Que devais-je faire? Je m'apprêtais à chambarder toute notre existence alors même que Gary semblait vouloir continuer la petite vie bien ordonnée que nous menions.

Pendant que je cherchais quoi répondre à la travailleuse sociale, j'entendis des pas dans l'escalier. À ma grande surprise, c'était Gary. Il n'était pas allé au travail.

Il s'assit sur le lit et murmura: «À qui parles-tu?»

Je pris une feuille de papier et écrivis: «Que dirais-tu d'aller chercher ta petite fille?»

Il s'empara du crayon et gribouilla: «Et si elle tombe malade? Aurons-nous besoin d'un avocat? Combien cela coûtera-t-il? Qu'arrivera-t-il si la mère change d'idée?»

Je lus ses questions, déchirai la partie de la feuille où il les avait écrites et lui redonnai le bout sur lequel était écrit ma première question: «Que dirais-tu d'aller chercher ta petite fille?»

«Avez-vous un avocat?», demanda Sue.

«Non», répondis-je. «Combien cela nous coûtera-t-il?»

«Laissez-moi vous trouver un avocat et lui poser la question» me répondit-elle avant de raccrocher.

Cinq minutes plus tard, elle rappela. «J'ai trouvé un avocat. Comme vous êtes les seuls dans le dossier, il dit que cela vous coûtera 2 000 $. Avez-vous cette somme?» *Wow!*, songeai-je, «*2 000 $. Et moi qui viens tout juste de payer mes cartes de crédit...* Puis je pensai: «J'ai trouvé! Nous pouvons obtenir une avance de crédit et adopter ce bébé!»

Gary, qui semblait toujours aussi abasourdi, se rendit finalement au travail. Pour ma part, je me précipitai au magasin acheter des couches et de la préparation lactée pour nourrissons, puis j'essayai de vaquer à mes occupations aussi normalement que possible. Les avocats et les agences d'adoption amorcèrent les formalités légales, mais tout cela semblait encore irréel. Et si la situation me semblait irréelle à moi, je me demandais si Gary était prêt à faire face à la musique.

Ce soir-là, Gary m'accompagna à une séance de signature de livres. Comme il n'est pas exactement un joyeux luron, il afficha son air calme (ou blasé?) habituel. Une fois la séance terminée, je pensai: *c'est maintenant ou jamais.*

«Chéri», lui dis-je, «allons la voir.»

«C'est impossible», répondit-il avec pragmatisme. «Les heures de visite se terminent dans 10 minutes et il faut 20 minutes pour se rendre à l'hôpital.

«Allez...», lui rétorquai-je en le poussant dehors en direction de la voiture.

Une fois rendus à l'hôpital, les corridors nous semblèrent résonner d'un chuchotement incessant. Au poste des infirmières, les infirmières de garde nous expliquèrent d'un ton amusé: «Cet événement a été très inhabituel pour nous. Si les ambulanciers avaient su qu'elle était enceinte, ils l'auraient emmenée dans un hôpital où on fait des accouchements. Nous n'avons même pas de pouponnière ici!»

Elles nous indiquèrent la chambre où était le bébé. Gary et moi traversâmes un long couloir. Une fois devant la chambre, cet homme costaud et placide qu'est mon mari tourna avec hésitation la poignée de la porte.

Nous nous retrouvâmes dans une chambre immense et vide, à l'exception d'un berceau installé au beau milieu de la pièce. En nous approchant, nous aperçûmes une minuscule nouveau-née. Gary se pencha et avança la main pour la toucher; elle ouvrit sa menotte et agrippa son doigt. Je regardai Gary et l'entendis murmurer de sa voix grave: «Bonjour mon trésor! C'est ton papa.»

Aussi curieux que cela puisse paraître, on aurait dit que père et fille s'étaient retrouvés.

Le destin en avait décidé ainsi.

Il faudra peut-être du temps, toutefois, avant que Gary redevienne complètement détendu lorsqu'il me demandera «Comment a été ta journée, chérie?»

Sheryl Nicholson

Les retrouvailles mère-enfant

Jusqu'en avril dernier, Kellie Forbes et Shauna Bradley ne s'étaient jamais rencontrées ni adressé la parole. Les deux maris travaillaient pour des entreprises différentes et leurs enfants ne fréquentaient pas les mêmes écoles. Aujourd'hui, Kellie et Shauna s'apprêtent à célébrer leur premier Noël ensemble et leur seul regret est de ne pas s'être connues plus tôt. Pendant plus de quatorze ans, en effet, ces deux femmes originaires de l'Utah étaient unies sans le savoir par un lien aussi fort que celui du sang, mais il a fallu un extraordinaire concours de circonstances pour qu'elles le découvrent. Est-ce la chance? la providence? ou bien un miracle?

En 1992, Kellie traversa une période sombre de sa vie : trois membres de sa parenté moururent. Puis, peu de temps après avoir déménagé dans une nouvelle maison, son mari et elle perdirent leur emploi. Après toutes ces épreuves, Kellie sombra dans le chagrin et la dépression.

À la suite de sa mise à pied, on lui proposa de consulter Shauna Bradley, une psychothérapeute. Shauna remarqua tout de suite que sa cliente ressemblait de façon frappante à son fils, Jake, qu'elle avait adopté alors qu'il était bébé. Les fossettes de Kellie, ses tâches de rousseur, ses cheveux foncés et ses yeux noisette étaient en tous points identiques à ceux de Jake. Néanmoins, Shauna mit tout cela sur le compte d'une simple coïncidence.

Lors de leur deuxième rencontre, Shauna demanda à Kellie quels étaient ses plans pour l'avenir. «J'aimerais écrire un livre sur l'expérience que j'ai vécue avec l'adoption», répondit-elle. Pendant son adolescence, raconta-t-elle à Shauna, elle avait eu un petit garçon qu'elle avait donné en adoption à un couple qu'elle ne rencontra jamais. Par la suite, Kellie s'était mariée et avait eu trois autres enfants, mais elle n'avait jamais oublié ce premier fils qui célébrerait bientôt son 14e anniversaire de naissance. Elle espérait qu'en écrivant un livre sur son expérience, elle pourrait aider d'autres jeunes femmes.

L'attitude de Kellie impressionna Shauna. Shauna aurait bien aimé rencontrer la mère de son propre fils adoptif si elle avait été certaine que c'était quelqu'un de la trempe de Kellie. Elle dit à Kellie qu'en tant que mère adoptive elle-même, c'était un sujet qui lui tenait particulièrement à cœur.

Reconnaissante d'avoir trouvé quelqu'un qui l'écoutait avec compassion, Kellie révéla tristement à Shauna son seul et unique regret: elle n'avait pas pu prendre son fils dans ses bras avant de le donner en adoption. Lorsque Shauna lui demanda pourquoi, elle répondit: «Kanab est une petite ville et c'est ainsi que les choses se passaient», faisant référence à l'endroit où elle avait accouché et qui se trouvait à des centaines de kilomètres de l'endroit où elle vivait avec ses parents à l'époque.

Bouche bée, Shauna laissa tomber son calepin. Son fils adoptif était né à Kanab même, il y avait de cela 14 ans. «Vous avez bel et bien dit Kanab?», s'écria Shauna. Kellie acquiesça.

Soudain, Shauna eut du mal à respirer, comme si on venait de lui assener un coup de poing dans l'estomac. Puis, à court de souffle, elle couvrit sa bouche de ses mains tremblantes en répétant «Oh, mon Dieu! Oh, mon Dieu!»

«C'est vous qui l'avez?», demanda lentement Kellie.

«Je crois que oui», confirma Shauna.

L'une après l'autre, elles se racontèrent leur histoire. Pendant son adolescence, dans la petite ville qu'elle habitait, Kellie se sentait ridiculisée par ses camarades de classe. «J'ai accepté de coucher avec quelqu'un parce que je voulais tellement que les autres m'acceptent.»

Le résultat: Kellie était tombée enceinte à 18 ans. Elle avait rompu avec son petit ami dès que la grossesse avait été confirmée, puis elle avait décidé de confier le bébé aux services d'adoption. Lorsque les services d'adoption avaient trouvé les futurs parents de son enfant, Kellie sut seulement leur âge, leur niveau d'éducation, leur confession religieuse et une description de chacun.

À son tour, Shauna raconta son histoire. Après quatre ans de mariage et «un tas de tests de fertilité», Jim et Shauna Bradley avaient posé leur candidature pour adopter un enfant. Un an plus tard, ils furent choisis pour être les parents d'un bébé né à Kanab. Trois jours après sa naissance, Jake fut confié aux Bradley. Dès que Jake fut en âge de comprendre, les Bradley lui révélèrent qu'il était adopté, insistant sur le fait que c'est par amour que sa mère avait renoncé à lui. Le jour de son anniversaire, Shauna avait l'habitude de lui dire: «Tu sais qui pense à toi aujourd'hui.»

Debout dans le bureau de sa psychothérapeute, Kellie ne savait pas si elle devait se réjouir ou se méfier. Après tout ce qu'elle avait enduré au cours de la dernière année, elle sentit qu'elle ne pourrait pas supporter une nouvelle déception si cette femme s'avérait ne pas être la mère de son fils.

Kellie commença: «Sa date de naissance est le...»

«29 juin 1980.»

«Et l'avocat qui a travaillé au dossier était...»

«Mike McGuire», répondit Shauna. «Et votre nom de fille est Robinson?»

Le cœur battant, Kellie répondit oui. L'impossible venait de se produire.

«La probabilité que nous nous rencontrions de cette façon est nulle», ajouta Shauna. Les deux femmes discutèrent longtemps après la fin prévue du rendez-vous. Shauna dit à Kellie qu'elle préférait attendre que Jake ait 18 ans pour lui parler de tout cela, sentant que son fils serait mieux en mesure d'encaisser la nouvelle si on attendait qu'il soit devenu adulte. Kellie, heureuse de savoir que son fils vivait dans une bonne famille, accepta.

Ce soir-là, Jim Bradley se rendit bien compte que sa femme était d'humeur particulièrement enthousiaste, comme si elle avait passé une journée extraordinaire au travail. Une fois les enfants couchés, Shauna lui expliqua son grand bonheur, qu'il partagea.

Au cours des jours qui suivirent, Kellie et son mari, Thayne, suivirent le conseil d'un psychothérapeute et révélèrent à leurs enfants cette extraordinaire rencontre. Les enfants connaissaient déjà l'existence de ce demi-frère adopté par une autre famille. Excités, ils demandèrent quand ils pourraient rencontrer Jake.

Entre-temps, les Bradley eurent à faire face à leur propre dilemme. Après avoir pesé les pour et les contre, ils conclurent que Jake était suffisamment vieux pour apprendre la nouvelle. Ils se dirent que s'ils attendaient et que Jake apprenait qu'on lui avait caché la vérité pendant si longtemps (ou si Jake apprenait la vérité de quelqu'un d'autre), ils pourraient perdre la confiance de leur fils. En revanche, s'ils lui disaient tout, Jake pourrait graduellement faire connaissance avec sa mère biologique pendant qu'eux, ses parents, seraient à ses côtés pour l'épauler.

Quand Kellie apprit que les Bradley étaient maintenant prêts à parler d'elle à Jake le plus tôt possible, ce fut
à son tour de se sentir nerveuse. «Je vous en prie, ne lui
dites rien en pensant que c'est ce que je veux», supplia-t-
elle. Elle était anxieuse. Qu'arriverait-il si elle n'était pas
à la hauteur des attentes de Jake?

Un matin, Shauna et Jim entrèrent dans la chambre
de Jake et le réveillèrent. Shauna dit: «Jake, une chose
très étrange s'est produite. Une femme est venue me consulter au bureau et nous avons découvert qu'elle était ta
mère biologique.»

Le visage de Jake s'illumina d'un sourire. «De quoi a-
t-elle l'air? Quand vais-je la voir?» Sa mère lui tendit une
photo de Kellie. Excité, l'adolescent bondit de son lit et
courut montrer la photo à sa grand-mère.

Shauna téléphona à Kellie et lui dit: «Il sait maintenant. Veux-tu que nous allions manger au restaurant?»
Kellie accepta sans hésiter en se disant: «Rien ne pourrait m'empêcher d'aller à cette rencontre.»

Kellie fut la première à se présenter au restaurant,
essayant de contenir ses émotions. Jim, qui revenait tout
droit du travail, arriva le deuxième. Puis ce fut le tour de
Shauna de garer sa voiture dans le stationnement,
accompagnée de Jake. L'auto n'était pas encore immobi-
lisée que Jake sortit et tendit à Kellie une magnifique vio-
lette.

Kellie dit d'une voix chevrotante: «Il faut que je te
prenne dans mes bras... ça fait si longtemps que
j'attends.» Elle serra Jake dans ses bras, puis Jake se
tourna vers sa mère, les yeux pleins de larmes. «Tu as
bien le droit de pleurer, mon trésor. C'est un très grand
événement qui t'arrive!»

Pendant le repas, Jake, avec enthousiasme, parla à Kellie de ses goûts et de ses intérêts. Il fut heureux d'apprendre qu'il tenait de sa mère biologique sa passion pour la musique et de son père, un mécanicien, ses talents de bricoleur.

La mère biologique et son fils pleurèrent lorsque Kellie prononça les mots qu'elle avait toujours voulu lui dire. «Il y avait tant de choses que je ne pouvais pas te donner quand tu es né. Je voulais que tu aies un foyer avec un papa et une maman. Même si je savais que je prenais la bonne décision, ce fut très, très difficile.»

Après le succès de cette première rencontre, Shauna et Kellie réunirent tous leurs enfants. «Ils se sont comportés comme s'ils se connaissaient depuis toujours», dit Kellie.

Aujourd'hui, Kellie et Shauna se parlent régulièrement, encore surprises de l'extraordinaire coïncidence qui a permis que leurs routes se croisent. «Je suis si heureuse pour Jake, dit Shauna. C'est comme si on venait d'ajouter une page manquante au livre de sa vie.» À cela Kellie ajoute: «Le fait que Jake ait une telle famille me comble; cela dépasse de loin mes espoirs les plus fous.»

Carolyn Campbell

Après 40 ans

Le 13 juin 1992, après mon quart de travail comme infirmière, j'allai reconduire comme d'habitude mes quatre enfants à leurs activités, puis j'épluchai le courrier. Je vis avec plaisir qu'il y avait une lettre en provenance du Nebraska: c'était une copie de mon certificat de naissance dont j'avais besoin pour obtenir mon passeport. Mon mari et moi allions bientôt partir en croisière à l'occasion des retrouvailles avec des camarades d'école que je n'avais pas vus depuis 25 ans.

J'ouvris l'enveloppe en fredonnant... et son contenu changea ma vie à jamais.

Les mots suivants étaient inscrits en gros caractères sur l'en-tête de la feuille: *Certificat de naissance – Adoption.*

Il devait y avoir une erreur. On ne peut pas, à 42 ans, ouvrir une enveloppe et y trouver une lettre prétendant qu'on a été adoptée!

Mes parents, Béatrice et Albert Whitney, étaient tous deux décédés. Après m'être calmée, je téléphonai donc à quelqu'un qui appartenait à la même génération qu'eux et qui serait susceptible de m'en dire plus long, c'est-à-dire mon oncle. Il se montra vague et mal à l'aise. Il tourna autour du pot, mais je refusai de lâcher prise. Finalement, il confirma que j'avais effectivement été adoptée à l'âge de deux ans, mais que mes parents avaient demandé à tous de garder le secret. En proie au vertige, j'appelai ensuite ma sœur aînée, Joan. Non sans hésiter, elle me confirma également la vérité.

J'étais anéantie. J'avais l'impression que toute ma vie n'avait été qu'un tissu de mensonges. Moi qui croyais

savoir qui j'étais, je n'en avais plus aucune idée maintenant. Aussi illogique que cela puisse paraître, je me sentais trahie par la famille Whitney et abandonnée par ma
mère biologique.

Mike et mes enfants firent de leur mieux pour comprendre ce que j'éprouvais. Finalement, Mike me dit:
«Chérie, pourquoi n'essaies-tu pas de trouver tes parents
biologiques?»

«Ce ne sont pas toutes les histoires qui finissent bien»,
rétorquai-je. «Ma mère n'a pas voulu de moi au départ.
Pourquoi voudrait-elle de moi aujourd'hui?»

«Écoute. Quoi qu'il arrive, tu ne te sentiras pas plus
mal en point que tu ne l'es présentement. Si tu parviens
à les retracer, tu pourras à tout le moins obtenir des renseignements d'ordre médical qui seraient utiles à nos
enfants et à toi.»

Après réflexion, j'en conclus qu'il avait raison. Mais
par où commencer?

J'avais grandi à Riverside, en Californie, mais je
savais que j'étais née à Omaha, dans le Nebraska. Puis
Joan, qui était de 10 ans mon aînée, se rappelait une
information cruciale: les prénoms de mes parents biologiques. J'entrai en contact avec les services sociaux et
amorçai le long processus de recherche. Un ami me suggéra de placer une annonce classée dans le journal
d'Omaha. Cette suggestion ne me disait rien qui vaille:
qui lit les annonces classées des journaux à part ceux qui
se cherchent du travail ou une voiture usagée?

D'un autre côté, je n'avais rien à perdre, car il existait
une chance (infime) qu'une personne connaissant mes
parents biologiques ou adoptifs lise l'annonce. Aussi déci-
dai-je de tenter ma chance. Je rédigeai l'annonce comme
suit: «*Je m'appelle Linda. Je suis née le 8/7/1950 de*

parents prénommés Jeannie et Warren. J'ai été confiée aux services d'adoption et mes parents adoptifs sont aujourd'hui décédés. Je ne veux causer aucun problème, mais je suis à la recherche de toute information utile et serais intéressée à une rencontre. L'annonce se terminait par le numéro de téléphone d'un travailleur social d'Omaha qui m'aidait dans ma démarche, dont je n'attendais d'ailleurs pas grand-chose. Je payai l'annonce à l'avance pour quelques semaines, puis je retournai à mes occupations habituelles.

Mon annonce parut pour la première fois le dimanche 1er novembre. Le lendemain, le téléphone sonna. «Linda», me dit le travailleur social, «je crois que vous allez passer un très joyeux Noël.»

Une femme du nom de Jeannette Curtis avait vu l'annonce, l'avait lue et relue, puis s'était décidée à appeler l'agence. Elle avait alors fourni à mon sujet des renseignements que personne d'autre ne pouvait connaître. «Est-ce que je lui donne votre numéro de téléphone?», demanda le travailleur social.

Quand le téléphone sonna cet après-midi-là, j'étais presque trop nerveuse pour répondre. Mike prit ma main dans la sienne. La femme à l'autre bout de fil demanda: «Est-ce que je parle à Linda?»

«Oui», répondis-je. «Êtes-vous ma mère?»

Les deux parfaites étrangères que nous étions l'une pour l'autre éclatèrent en sanglots.

Lorsque je parvins à retrouver la voix, je lui dis: «Je ne peux pas croire que vous vous êtes trouvée à lire les annonces classées le jour où j'en ai mis une!»

D'une voix douce, elle répondit: «Ma chère, ça fait des années que je lis chaque jour les annonces classées de ce journal dans l'espoir d'y voir ton annonce.»

À cet instant, je croyais bien ne plus avoir de surprise, mais l'histoire qu'elle me raconta me coupa le souffle.

Elle s'était mariée à 17 ans et m'avait donné naissance la même année. L'année d'après, elle et mon père s'étaient rendu compte que tout cela était trop pour eux et ils avaient divorcé. Elle avait ensuite eu la chance de dénicher un emploi à temps plein à Omaha et de trouver un couple d'âge mûr, les Whitney, pour prendre soin de moi durant la journée. Le seul problème, c'était que les Whitney vivaient à l'autre bout de la ville, ce qui obligeait ma mère à faire un trajet d'une heure et demie en tramway pour l'aller seulement. À contre-cœur, elle avait donc accepté de me confier aux Whitney la semaine pour me reprendre les week-ends.

Pendant un an, cette entente avait bien fonctionné. Les Whitney s'occupaient bien de moi, sans compter que j'appréciais la présence de leur fille de 12 ans, Joan. Un jour, cependant, ma mère avait reçu un appel téléphonique de Béatrice Whitney, toute paniquée. Béatrice avait annoncé à ma mère que les services sociaux avaient découvert notre petit arrangement et qu'à moins que les Whitney et maman signent dans les plus brefs délais certains documents requis, je serais prise en charge par les services sociaux. Maman s'était alors précipitée chez l'avocat des Whitney, mais celui-ci lui avait répété la même chose. Elle ne comprenait pas vraiment les termes légaux des documents qu'elle avait alors signés, mais elle avait dit à l'avocat qu'elle ferait n'importe quoi pour ne pas me perdre. Jamais elle n'avait voulu m'abandonner.

La crise avait alors semblé se résorber. Puis, le week-end suivant, maman s'était présentée chez les Whitney les bras chargés de cadeaux, car c'était mon deuxième anniversaire de naissance. Lorsqu'elle était arrivée à leur logement, toutefois, celui-ci était vide. Les Whitney s'étaient enfuis.

Elle avait remué mer et monde pour me retrouver. L'avocat des Whitney avait refusé de lui parler. Quant à l'employeur de M. Whitney, tout ce qu'il savait, c'était qu'Albert Whitney avait remis abruptement sa démission. De plus en plus inquiète, maman s'était alors demandé si les documents qu'elle avait signés n'étaient pas en fait des documents d'adoption; elle avait donc appelé les services sociaux, mais on lui avait répondu que les renseignements concernant les adoptions étaient de nature confidentielle.

Comme elle n'avait pas d'argent pour embaucher un avocat ou un détective privé, elle avait poursuivi ses recherches par ses propres moyens. Pendant des mois qui s'étaient transformés en années, elle avait fouillé les annuaires téléphoniques de toutes les régions des États-Unis. Et chaque jour, elle avait lu les annonces classées, toujours à ma recherche. Pendant 40 ans, elle avait refusé de perdre espoir.

Lorsqu'elle me raconta cette histoire, ma première réaction en fut une de colère envers les Whitney qui, dans une logique tordue, m'avaient aimée au point de me voler à ma mère. Mais ensuite, je songeai à ma mère biologique et à la souffrance qu'elle avait endurée pendant toutes ces années. Ma propre souffrance qui durait depuis à peine quelques mois n'était rien en comparaison de la sienne. Ma troisième pensée en fut une de bonheur: ma mère m'aimait! Elle voulait de moi!

Je ne peux expliquer le lien instantané qui se créa entre elle et moi. Nous passâmes un temps fou au téléphone. Maman me raconta qu'elle s'était remariée et avait eu un fils, maintenant décédé, et une fille prénommée Debbie. Son mari et elle avaient également adopté un garçon du Vietnam. Elle avait obtenu son diplôme collégial à l'âge de 53 ans. Je lui racontai également ma vie dans ses moindres détails.

Le destin et les merveilles de l'ère électronique firent que nous nous rencontrâmes finalement dans de drôles de circonstances: un recherchiste d'une émission de télévision lut notre histoire dans le journal d'Omaha et nous invita à participer à l'émission. Je suis sûre que notre apparition fut un grand moment de télévision: nous tombâmes dans les bras l'une de l'autre, pleurant à chaudes larmes.

Peu après, ma nouvelle famille profita de la fête de l'Action de grâce pour me rendre visite dans l'Utah. Puis, à Noël, j'allai à mon tour passer deux semaines chez maman à Omaha.

Comme je suis croyante, je refuse de penser que ma rencontre avec ma mère est une pure coïncidence. Même le moment de nos retrouvailles semble avoir été prévu. Au cours des dix-huit mois qui suivirent, en effet, nous eûmes le temps de nous connaître et de devenir de grandes amies, puis peu de temps après, une maladie rénale terrassa subitement ma mère biologique et elle mourut.

Ces mois que nous passâmes ensemble restent un cadeau précieux pour moi. La découverte de la vérité fut une expérience douloureuse, certes, mais je suis reconnaissante de l'avoir vécue.

Et je ne vois plus les annonces classées comme un simple moyen de trouver un emploi ou une voiture usagée. Je sais qu'il est également possible d'y trouver ses racines.

Linda O'Camb

8

LES ADIEUX

*Ce que tu puises à la fontaine
retournera un jour à la fontaine.*

Henry Wadsworth Longfellow

Un circuit pour maman

Lorsque mon séjour de cinq ans au sein des Cardinals de Saint-Louis prit fin en 1990, je priai pour avoir la chance de poursuivre ma carrière de joueur de baseball professionnel dans une ville située plus près de New York. On venait de découvrir que ma mère, Grace, avait un cancer du sein, et comme elle vivait à Long Island, je souhaitais passer plus de temps avec elle. Mon rêve devint réalité lorsque je signai un contrat avec les Phillies de Philadelphie pour la saison 1991. Philadelphie n'était qu'à trois heures de route de chez ma mère.

Plus la saison 1991 progressait, plus l'état de maman se détériorait. Son cancer se propageait et elle n'en avait plus pour longtemps. Ma fiancée et moi décidâmes même de devancer de quatre mois la date prévue de notre mariage afin que maman puisse y assister.

Ma performance sur le terrain se détériorait également. Après la pause du match des étoiles, je passai de plus en plus de temps sur le banc; les quelques matchs que je jouai furent loin d'être impressionnants. Pendant les six semaines qui suivirent, j'eus 18 présences au bâton sans le moindre coup sûr. Ce fut pour moi un long passage à vide, et j'éprouvai toutes sortes de sentiments, depuis l'apitoiement jusqu'à l'isolement.

Finalement, ma déveine se termina lors d'un match contre les Braves d'Atlanta le 1er septembre. Par un magnifique dimanche après-midi à Philadelphie, je fis mon entrée dans le match à la fin de la dixième manche, en tant que frappeur suppléant. Le compte était 4 à 4 et j'affrontais un des lanceurs les plus puissants de la ligue, Mark Wohlers. Tout ce que je voulais, c'était me rendre au premier but pour donner une chance à mon équipe de remporter le match.

Je regardai passer les deux premiers lancers, une balle et une prise, puis je réussis à frapper deux fausses balles consécutives sur des balles rapides de plus de 150 km/h! Après ces deux contacts solides avec la balle, je sentis l'esprit de compétition renaître en moi.

Avec un compte de deux balles et deux prises, je sortis de la boîte du frappeur pour me préparer mentalement au prochain lancer de mon adversaire; j'étais déterminé cette fois à ne pas être en retard sur le lancer. Le lanceur me lança une balle rapide au coin intérieur, et mon bâton cogna la balle en émettant un son habituellement réservé aux frappeurs de circuits tout étoile.

Le voltigeur de droite, Dave Justice, recula jusqu'à la clôture et regarda la balle passer au-dessus. J'avais frappé un coup de circuit qui nous fit gagner le match. Chaudement accueilli par mes coéquipiers au marbre, mon cœur battait si fort que j'avais peur qu'il transperce mon uniforme! Quelle sensation!

Deux semaines plus tard, je rendis visite à maman, impatient de lui montrer l'enregistrement vidéo de mon coup de circuit. Lorsque j'entrai dans sa chambre, toutefois, je fus bouleversé de voir à quel point son état avait empiré. Je sus alors que c'était la dernière fois que je la voyais.

Étant donné que je visionnais moi-même cet enregistrement pour la première fois, j'ignorais les propos qu'avait tenus le commentateur, Harry Kalas, pendant le match. Après mon coup de circuit, Kalas avait expliqué que c'était mon premier coup sûr en six longues semaines. Maman et moi, main dans la main, écoutâmes la suite. «John Morris a traversé une période difficile pendant la deuxième moitié de saison et ce circuit n'aurait pu arriver à un meilleur gars.» Je pouvais sentir l'émotion nous étreindre ma mère et moi pendant que l'enregistrement montrait la reprise au ralenti de mon extraordinaire coup de circuit. Alors que le lanceur prenait son élan, Kalas avait prononcé les mots les plus doux que ma mère ait entendus: «La mère de John est gravement malade depuis un certain temps» et, lorsque le bâton était entré en contact avec la balle, il avait conclu «et ce coup lui est probablement dédié».

Nous éclatâmes tous les deux en sanglots. Elle me serra contre elle aussi fort qu'elle put et murmura: «Je t'aime, mon garçon, et je suis très fière de toi. Tu me manqueras beaucoup.»

Le dernier week-end de septembre, alors que la saison prenait fin, je reçus un appel téléphonique m'annonçant que maman ne verrait pas le lundi suivant. Le dimanche après-midi, notre équipe effectua le dernier retrait de la saison, et le lendemain matin, j'étais au chevet de ma mère lorsqu'elle s'éteignit. On aurait dit qu'elle savait que la saison de baseball était terminée et qu'elle pouvait maintenant s'en aller.

John Morris

La célébration
de toute une vie

Lorsque j'ai cessé de voir ma mère avec des yeux d'enfant, j'ai vu la femme qui m'a aidée à donner naissance à la personne que je suis.

Nancy Friday

Il y a presque cinq ans, lors de la fête donnée en l'honneur de son 80e anniversaire de naissance, ma mère, qui était en bonne santé et dans une forme splendide, ferma les yeux et mourut dans mon salon.

Je ne pus accepter sa mort. Pendant toute l'année qui suivit, je m'efforçai de vivre malgré l'immense vide que son décès laissa dans ma vie.

À mes yeux, personne ne la surpassait, et certainement pas les autres mères. Elle était du genre à sortir la tête de la voiture pour sermonner des adolescents qu'elle surprenait à fumer. Ou encore, si elle nous voyait regarder l'émission télévisée *American Bandstand*, elle ronchonnait devant les danseurs qui se déhanchaient au petit écran: «Pourquoi diable ces enfants ne sont-ils pas dehors en train de jouer?»

C'était une femme drôle et pleine de fougue, un modèle de bravoure et d'honnêteté. Mais par-dessus tout, elle avait de la compassion. Pendant plus de 30 ans, ma mère et ma tante Grace furent les propriétaires et dirigeantes d'un camp d'été pour filles, et rien ne leur faisait plus plaisir que de voir des jeunes grandir dans la confiance et le bonheur. Ma mère s'était mariée sur le tard. Son mariage se termina rapidement par un divorce qui

l'avait beaucoup fait souffrir. Elle avait néanmoins élevé
ses deux filles dans la joie et sans s'appesantir sur le
passé. Nous nous sentions en sécurité avec elle; nous
nous sentions aimées. «Faites attention aux choses que
vous demandez dans vos prières», nous avait-elle con-
seillé un jour. «Pendant toute ma vie adulte, j'ai prié pour
les enfants.» Elle avait alors fait une pause pour mieux
nous faire comprendre ce qu'elle voulait dire. «Jamais je
n'ai prié pour un homme», avait-elle ajouté avec un clin
d'œil.

Un mois avant le 80e anniversaire de naissance de
notre mère, ma sœur Nan et moi avions discuté avec nos
époux de ce grand événement qui approchait. «Au lieu de
la fêter en octobre», suggéra l'un de nous, «pourquoi ne
pas attendre en décembre, disons autour du 20, pour que
toute la famille soit réunie en Nouvelle-Angleterre?»

Environ huit semaines avant l'événement, j'envoyai
les invitations. Chaque carte d'invitation consistait en
une photo de ma mère bébé, avec cette légende: «Qu'est-
il advenu de cette adorable petite fille qui fut, durant la
majeure partie de ses jeunes années, si douce, si gentille
et si tranquille?» De l'autre côté de la carte était collée
une photo récente d'elle, souriante, avec la phrase
suivante: «Si vous voulez le constater par vous-même,
venez à la fête qui sera donnée en l'honneur de son 80^e
anniversaire de naissance.»

Le 26 octobre, date de son véritable anniversaire, ma
sœur lui envoya une bague sertie des pierres de naissance de ses quatre petits-enfants; ce cadeau l'enchanta.
Pour ma part, je lui offris une montre au cadran muni de
gros chiffres, conçue spécialement pour les personnes en
perte de vision, ainsi qu'une veste à col mandarin, fabri-
quée en Chine, qu'elle mit tout de suite de côté: «Je la
porterai à ma fête en décembre», promit-elle.

Octobre et novembre passèrent; on approchait de plus en plus du 20 décembre. Nan et sa famille arrivèrent en avion de la Floride où ils vivaient. La fête avait lieu chez moi. Le matin du grand jour, ma famille et moi nous levâmes tôt. Nous bavardâmes et rîmes pendant que nous polissions l'argenterie, sortions les verres des grands jours et préparions le punch. La neige qui avait tombé pendant la nuit ajoutait une touche de magie.

Vers 14 h, ma sœur téléphona à maman pour lui dire que j'étais en route pour aller la prendre. «Je me sens comme une jeune mariée!», s'exclama-t-elle au téléphone. C'est d'ailleurs à cela qu'elle ressemblait: une jeune mariée vêtue d'une veste à col mandarin. Son visage rayonnait.

Une fois revenues à la maison, nous entrâmes dans le salon et tout le monde se mit à applaudir. «Allons donc!», balbutia-t-elle en baissant la tête dans un geste de modestie empreint d'une forte émotion.

Puis arriva le moment de couper le gâteau et d'offrir nos vœux officiels à la doyenne de la famille. Tous se rassemblèrent dans la salle à dîner. Pendant le toast, je lus deux documents que ma mère et moi avions récemment retrouvés tout au fond des tiroirs de son bureau. Ils avaient été écrits par son père — c'est-à-dire le grand-père de presque toutes les personnes présentes dans la pièce — mort depuis 30 ans.

Un des documents consistait en une série de petites enveloppes placées dans une pochette en cuir, chacune portant l'écriture serrée et méticuleuse de cet homme: «Récit de la vie de Caroline». Chaque enveloppe avait jadis contenu un billet de cinq dollars et marquait une étape importante dans la vie de ma mère (la première était «pour avoir appris à ramper, à marcher et à manger avec une cuillère», la seconde «pour avoir commencé l'école», et ainsi de suite.)

Quant au deuxième document, il s'agissait d'une lettre qu'il avait écrite à la veille du vingtième anniversaire de sa fille qui étudiait alors à l'université. «Comme il doit être passionnant d'avoir 20 ans! À ton âge, j'étais plein d'espoir et d'ardeur, deux qualités qui, grâce à Dieu, ne m'ont jamais fait défaut... J'étais en bonne santé et ne craignais personne. Toutefois, jamais je n'aurais imaginé qu'un jour j'aurais une fille aussi magnifique que toi...»

Pendant que je lisais cette lettre, des larmes glissaient sur les joues de maman. Je terminai le toast et tout le monde leva son verre. Maman se tourna alors vers sa sœur Grace et dit: «Oh! Grace, as-tu senti la même chose que moi? On aurait dit qu'il était ici, *parmi nous.*»

À bien y penser, peut-être que son père était parmi nous, car vingt minutes plus tard, elle nous quitta pour aller le rejoindre. Elle était dans mon salon, assise dans son fauteuil à oreillettes favori, bavardant et grignotant une assiette de pâtisseries posée sur ses genoux. Puis, elle ferma les yeux et s'en alla. Sa mort fut aussi facile et gracieuse que cela.

Au cours de l'année qui suivit, je devins de plus en plus nerveuse et craintive; j'imaginais mes proches qui mouraient soudainement sous mes yeux. Submergée par une peine profonde et inconsolable, j'oubliais mes rendez-vous et accumulais les accrochages avec mon automobile. Puis, par un jour pluvieux du mois d'avril, sur un coup de tête, j'emmenai mes trois enfants pour la première fois au cimetière.

Le terrain n'avait pas encore été gazonné et s'était enfoncé d'une vingtaine de centimètres à cause du dégel printanier. Nous restâmes assis sous la pluie, au pied de la grosse pierre tombale identifiant le lot familial, et nous pleurâmes. Puis nous nous rendîmes dans un centre commercial dans l'espoir de chasser nos pensées sombres. Il y avait une fontaine de vœux dans laquelle nous lançâmes quelques pièces de monnaie. «Je souhaite que grand-maman soit heureuse là où elle se trouve», dit ma petite écolière de neuf ans. «Comme je *sais* que grand-maman est heureuse, je souhaite que *nous* soyons heureux», déclara sa sœur qui terminait son primaire. «Je lance ma pièce de monnaie dans l'eau noire», dit d'un ton piteux leur frère de trois ans.

Le temps fit cependant son œuvre et notre douleur s'atténua. Lentement émergèrent dans ma mémoire des choses qu'elle m'avait dites quelques mois avant sa mort. Parmi ces souvenirs se trouvait le suivant. Un soir, à peine quelques semaines avant sa fête d'anniversaire, nous bavardions au téléphone de tout et de rien comme nous en avions l'habitude. À un moment donné, son ton avait changé. «Tu es si bonne, Terry, si attentive aux autres, tu es comme un rayon de soleil dans la vie des gens. Toi et ta sœur, vous êtes si pleines de vie...» Je l'avais interrompue sans plus attendre.

«Maman! Ce n'est pas moi que tu décris, c'est toi.» Mais elle avait refusé de m'écouter.

Cet automne-là, peut-être essayait-elle de nous transmettre tout ce qu'elle était, de nous dire une dernière fois les valeurs sur lesquelles elle avait fondé toute sa vie. Ou peut-être était-ce encore plus mystique que cela, du genre «Tiens, prends ces cadeaux que je t'offre avant de partir». Je ne sais pas. Et j'imagine que je ne le saurai jamais. Le vide qu'elle a laissé en partant est toujours là, mais je sais que je peux maintenant le regarder sans éprouver l'épouvantable vertige que je ressentais les premiers temps. Lentement, j'ai commencé à voir la conclusion du «Récit de la vie de Caroline» non pas comme une parodie cruelle d'une fête d'anniversaire, mais comme quelque chose de totalement différent. Je vois maintenant cette fin comme la célébration de toute la vie de ma mère, en compagnie des personnes qu'elle aimait le plus. Je vois cette fin comme une sorte de lancement.

Chaque jour depuis son décès, je porte sa montre à gros chiffres. Je raconte les histoires qu'elle aimait raconter. «Tu sais, tu ressembles beaucoup à ta mère», me disent de plus en plus les autres.

Où s'en vont les morts, où s'en vont nos proches qui meurent, nous demandons-nous. Nous ne le savons pas, évidemment, mais j'ai l'impression que la femme qui m'a mise au monde se trouve en un lieu qui n'est pas très loin. Elle est en moi, tout autour de moi. Elle est dans un clin d'œil inattendu d'un de mes enfants. Elle est même, parfois, dans mon propre miroir.

Terry Marotta

Le jour où j'ai eu mon premier enfant est le jour où j'ai enfin compris à quel point ma mère m'aimait.

Tiré de
For Mother – A Bouquet of Sentiments

Lâcher prise

Je plie mais ne romps point.

Jean de la Fontaine

C'était au mois de janvier 1991. La vie était belle. Les enfants allaient bien.

Le 30 janvier marquait le 12e anniversaire de naissance de mon fils Shane. Notre famille avait une tradition: le soir de son anniversaire, la personne fêtée décidait du dîner. Elle avait le choix entre son mets favori à la maison et un repas à son restaurant préféré. Shane opta pour le restaurant Red Lobster. Il commanda des pattes de crabe et les serveurs lui chantèrent «Joyeux anniversaire». Cette attention, j'en suis certaine, l'embarrassa et lui plut à la fois. Ma fille Nichole fit ses excuses à Shane parce qu'elle n'avait aucun présent à lui offrir. «Aimerais-tu venir faire du ski avec Joey et moi samedi prochain?», lui demanda-t-elle.

Les yeux de Shane s'allumèrent. Une offre de ce genre était une denrée rare de la part de sa sœur de 14 ans.

Le même soir, de retour à la maison, Shane s'approcha de la coiffeuse où j'étais assise à me brosser les cheveux. Il ouvrit mon coffret à bijoux et prit une petite croix en or que son père m'avait offerte avant notre divorce. «Je peux la prendre?», demanda-t-il.

«Bien sûr, mon chéri, tu peux la prendre», dis-je.

Le vendredi, c'est-à-dire la veille de leur sortie de ski, Shane fit irruption dans la cuisine, baissa l'encolure de son chandail et pointa la croix qui pendait autour de son cou. «Dieu est avec moi maintenant», dit-il d'un ton serein.

J'eus de la difficulté à m'endormir ce soir-là. Ce n'est pas que je croyais que jamais rien ne pourrait nous séparer, comme le dit la chanson, mais je pensais qu'il nous restait encore beaucoup de temps. J'ignorais que la fin viendrait si vite, que j'allais bientôt vivre le pire cauchemar qu'une mère puisse imaginer, un cauchemar qui allait concerner non pas un seul de mes enfants, mais les deux.

«Revenez à la maison pour six heures!», criai-je aux enfants qui partirent le samedi matin à Afton Alps, une station de ski située au sud de la ville que nous habitions, Stillwater, dans le Minnesota. Nichole fit la promesse qu'elle et Shane rentreraient à la maison à l'heure.

Ce fut une étrange journée. J'avais l'impression d'attendre quelque chose, mais sans savoir quoi au juste. À huit heures du soir, je me demandai pourquoi les enfants n'étaient toujours pas rentrés. À neuf heures passées, alors que je faisais les cent pas dans la maison, le téléphone sonna.

«Mme Beattie?» me demanda un homme. «Je fais partie de la patrouille de ski d'Afton Alps. Votre fils s'est blessé. Il est inconscient, mais je suis certain que tout ira bien. Restez à votre domicile. Nous vous rappelerons.»

Quinze minutes plus tard, le téléphone sonna de nouveau. «Votre fils est toujours inconscient», m'annonça l'homme. «Nous l'emmenons à l'hôpital.»

Reste calme, pensai-je. *Rends-toi à l'hôpital et va voir ton fils. Reste à ses côtés. Tout ira bien.*

Une infirmière vint à ma rencontre dans la salle des urgences. Elle me regarda comme personne auparavant ne m'avait regardée. Elle me prit par le bras et me conduisit dans une petite salle. «Y a-t-il quelqu'un à qui vous pouvez téléphoner?», me demanda-t-elle.

Ces mots firent voler mon cœur en éclats. Je savais ce qu'ils signifiaient.

J'appris par la suite ce qui s'était produit. Après avoir descendu toute la journée les pentes réservées aux débutants, Shane avait décidé de terminer sa journée en essayant une pente réservée aux experts et appelée Trudy's Schuss. Il avait persuadé un des amis de Nichole de l'y accompagner.

Une fois rendus au sommet de la pente, Shane avait crié: «Allons-y!» Il avait planté ses bâtons de ski dans la neige, puis s'était élancé. En passant sur une bosse, il était tombé, mais il avait réussi à se relever. C'est tout de suite après, alors qu'il essayait de retrouver son équilibre, qu'il avait été frappé par derrière par un autre skieur. Shane était de nouveau tombé, cette fois sans pouvoir se relever.

En quelques minutes, un traîneau de premiers soins était arrivé. Lorsque les sauveteurs avaient constaté que la respiration artificielle échouait, quelqu'un avait appelé une ambulance.

«Aidez-le! C'est mon frère!», avait crié Nichole aux ambulanciers. Un ambulancier avait installé une intra-veineuse pendant que son collègue s'apprêtait à couper la chaîne qui pendait au cou de Shane. «N'y touchez pas», demanda Nichole. On ferma les portes de l'ambulance qui démarra en trombe en direction de l'hôpital.

À l'hôpital, j'interrogeai un médecin. Il parla de lésions cérébrales. D'enflure. De tests à passer. Tout le week-end, je priai pour un miracle. Parfois, j'étais incapable de rester dans la chambre de Shane, comme si j'allais exploser ou sombrer dans la folie. Le respirateur émettait un sifflement chaque fois qu'il poussait de l'air dans les poumons de Shane. Je lui tenais la main et lui serrais doucement les doigts. Sa main restait inerte.

Je me rappelai la fois où nous avions fait du toboggan ensemble, quelques semaines auparavant. Shane était entré en collision avec un arbre et avait été éjecté du toboggan. Il était resté couché sur le dos dans la neige. «Shane, ça va?», lui avais-je crié en courant vers lui.

Rapidement, il s'était assis, le sourire aux lèvres, et avait dit: «T'as eu peur?»

«Ne me fais pas ce genre de blague, veux-tu?», avais-je rétorqué. «Si jamais quelque chose t'arrivait, je ne crois pas que je pourrais le supporter. Comprends-tu?»

Il m'avait regardée, était redevenu sérieux et m'avait dit que oui, il comprenait.

Maintenant, j'étais à son chevet et je souhaitais de tout mon cœur qu'il s'assoit dans son lit et me dise: «T'as eu peur?» Mais il ne l'a pas fait.

Au troisième jour, les médecins m'annoncèrent que nous devrions débrancher Shane. Ses reins ne fonctionnaient plus. Son corps ne réagissait plus. Il était mort sur le plan cérébral. D'un point de vue médical, il n'y avait plus rien à faire.

Je me mis à crier, «Bon sang! C'est de mon bébé dont il est question ici!» De toutes mes forces, je frappai du pied la porte qui se trouvait devant moi.

Après que les amis de Shane, ceux de Nichole et les membres de la famille eurent fait leurs adieux, j'entrai dans la chambre. Je coupai une boucle de ses cheveux et touchai ses pieds. J'avais toujours aimé ses petits pieds. Puis je le pris dans mes bras pendant qu'on débranchait le respirateur.

«Je t'aime», dis-je. «Je t'ai toujours aimé et je t'aimerai toujours.»

Une fois l'appareil éteint, l'air s'échappa de ses poumons pour la dernière fois. Je compris qu'il ne respirait plus seul depuis plusieurs jours, en fait qu'il était mort depuis l'accident. L'appareillage médical avait donné l'illusion quelque temps, mais tout était bel et bien fini.

Quitter cette chambre et sortir de cet hôpital a été l'épreuve la plus pénible de toute ma vie.

Lors des funérailles de Shane, j'apportai des ballons. Quand mes enfants étaient petits, ils adoraient les ballons. S'ils en échappaient un par inadvertance, je les consolais en disant: «Ce n'est pas grave. Dieu attrape tous tes ballons et quand tu iras au ciel, tu recevras un gros bouquet formé de tous les ballons que tu as perdus. Sèche tes larmes. Tu les retrouveras un jour.»

Le ciel était limpide en ce jour de février lorsque des centaines de ballons montèrent vers le firmament jusqu'à ce que nous les perdions de vue.

Au cours des mois qui suivirent, Shane me manqua terriblement. Sa présence, sa voix, ses câlins me manquaient. Certaines nuits, je restais éveillée jusqu'à l'aube, essayant de percer le voile qui sépare notre monde de l'autre monde. Mais Shane était loin. Disparu à tout jamais. Ma vie perdit tout son sens.

Nichole traversait également une période difficile. Parfois, nous pleurions ensemble, mais plus le temps passait, plus je sentais une distance s'installer entre elle et moi. Nous commençâmes à nous disputer. Elle se mit à négliger ses travaux scolaires et à faire l'école buissonnière. Elle se fit un nouveau cercle d'amis qui ne m'inspirait guère confiance. Ils étaient revêches, parfois même grossiers. J'essayai de lui interdire de les voir, mais en vain.

Chacune de nous deux était à la dérive dans son propre océan sombre et froid, réussissant à peine à garder la tête hors de l'eau. Parfois, nous parvenions à rétablir le contact, à nous prendre la main et à nous dire «Je t'aime».

C'est lors d'un de ces moments, six mois après le décès de Shane, que Nichole se confia à moi: «Maman, certains prétendent que les choses finissent toujours par s'arranger avec le temps. Mais d'une certaine façon, c'est pire. Plus le temps passe, plus Shane me manque.»

La plupart du temps, cependant, nous menions notre lutte en solitaire.

Un soir, Nichole rentra tard à la maison. Quand j'essayai de lui parler, elle pouffa de rire, puis m'envoya un baiser. Elle empestait l'alcool.

Nous eûmes une discussion le lendemain. J'énonçai quelques règles en essayant d'être claire et raisonnable. J'insistai pour qu'elle consulte un psychologue, mais elle refusa.

Je lui demandai à quelle fréquence elle buvait de l'alcool. Elle affirma qu'elle n'avait bu qu'à deux reprises, une fois au lendemain des funérailles et une fois l'été d'après. Elle me dit que tout allait bien.

Puis, un après-midi au cours de l'hiver qui suivit, je me trouvais dans la cuisine lorsque Nichole ouvrit brusquement la porte. «Il faut que je te parle», me dit-elle. «Je ne sais pas comment le dire, mais je ne peux pas me contrôler quand je bois. Parfois, j'ai des trous de mémoire et je ne me rappelle plus rien. J'ai peur. J'ai besoin d'aide.»

«D'accord», lui dis-je, ne sachant quoi faire de plus.

«Je commence à me détester», poursuivit-elle. «L'autre jour, je t'ai menti en pleine face au sujet des endroits que je fréquente et des choses que je fais. J'ai pris de la cocaïne et de la marijuana.»

Le lendemain, je l'accompagnai dans un centre de désintoxication pour jeunes. Je lui dis au revoir en la serrant très fort dans mes bras. «Ça va bien aller, mon bébé», dis-je. «C'est un nouveau départ, le commencement du reste de ta vie.»

«Je t'ai fait du mal», dit-elle. «Je m'en veux. Je veux que tu sois fière de moi un jour.»

Le jour de Noël, le deuxième depuis la mort de Shane, fut sans histoire. Je me rendis au centre de désintoxication pour offrir à Nichole ses présents. «Maman, je suis contente d'être ici. Je me sens renaître.»

La semaine suivante se tenait une rencontre familiale au centre de désintoxication, un événement que je redoutais. C'était le moment de laver le linge sale entre parent, enfant et psychologue.

J'entrai dans le petit bureau et m'assis en face de Nichole. La psychologue, une femme aux cheveux courts, était assise à côté d'elle. «Dis-lui», dit-elle à Nichole.

Son menton se mit à trembler, de même que ses mains. Elle commença à parler, doucement. «Je suis désolée, maman. Je me sens si coupable, si mal. J'ai essayé de noyer ma culpabilité dans l'alcool et dans la drogue.»

Puis elle se leva et se mit à crier. «Tout ce cauchemar, c'est ma faute! Tu m'avais demandé de rentrer à la maison à six heures. C'est la dernière chose que tu nous as dite avant que nous partions. Si je t'avais écoutée, si j'étais rentrée à la maison à l'heure dite, Shane ne serait pas mort. Je suis si désolée, maman.»

Je la pris dans mes bras. Elle tremblait si fort que j'avais de la difficulté à garder mes bras autour d'elle.

Je lui répétai que c'était un accident, que personne n'était responsable. Puis, avant de partir, je lui laissai un mot:

Ma chère Nichole,

Je t'aime très fort. Je t'ai toujours aimée. Si tu m'avais appelée ce soir-là pour me demander de rester plus tard pour faire du ski, j'aurais dit oui. Mon trésor, ce n'est pas de ta faute. Ne redis plus jamais que tu es responsable de sa mort.

Je t'aime. Maman

Une fois de retour à la maison, le téléphone sonna. «Merci maman», me dit Nichole. «Merci beaucoup. Ce que tu as écrit a beaucoup d'importance pour moi. Rien n'est plus important.»

C'est à ce moment que je compris qu'il fallait se débarrasser de la culpabilité inutile. La sienne tout autant que la mienne.

Le cœur a ses saisons. Il y a des saisons dans notre existence comme il en existe dans la nature. Elles échappent à notre emprise de la même manière qu'on ne peut hâter l'arrivée du printemps en tirant sur les jeunes pousses d'herbe pour les faire pousser plus vite. J'ai mis du temps à le comprendre.

À partir de ce moment-là, je me suis sentie légère comme jamais je ne l'avais été depuis des années, de toute ma vie peut-être. Je me demandai combien de temps, réellement, il m'avait fallu pour apprendre cette leçon.

Je n'étais pas obligée de gravir puis de redescendre la montagne, de passer du désespoir à l'euphorie, essayant de me convaincre que la vie était soit douloureuse et terrible, soit facile et merveilleuse. La vérité, c'était que la vie était tout cela à la fois. Je n'étais pas sur cette terre pour être heureuse jusqu'à la fin des temps, quoique maintenant je sentais que c'était possible.

Nichole rentra à la maison en janvier. Nous fîmes le serment de vivre la meilleure année qu'une mère et sa fille puissent avoir. Pour célébrer son retour, nous organisâmes une grande fête où tous ses amis étaient conviés. Ce fut une journée magnifique.

Je compris que le temps était venu de relâcher le ballon que je traînais depuis les funérailles de Shane, de laisser mon cœur renaître dans la joie et l'espoir que je croyais disparus à jamais.

Je parvins donc à lâcher prise. «Merci pour ma vie», chuchotai-je en direction du ciel.

À mon grand étonnement, j'étais sincère.

Melody Beattie[*]

---

[*] Nous remercions les Éditions Flammarion ltée, Montréal, de nous avoir aimablement autorisés à reproduire "Lâcher prise", extrait de *Les leçons de l'amour*, ©1995.

John

C'est en avril que je l'ai vu pour la première fois,
«C'est un garçon», le médecin m'a-t-il dit;
J'avais tant attendu ce moment,
Que mon fils est devenu le centre de ma vie.

À chacun de ses anniversaires,
Je voyais mon garçon grandir,
Puis le temps a passé tellement vite
Qu'à l'école il a dû bientôt partir.

Les années ont filé encore,
Mon fils est devenu adolescent;
Il s'affublait de drôles de chapeaux,
Et portait toujours ce jeans qu'il aimait tant.

Le sport était toute sa vie,
Le collège, une période de bonheur;
Dans un coffre à trésors, il collectionnait
Ses médailles si chères à son cœur.

Souvent, quand il rentrait à la maison
Après un rendez-vous galant,
Il chuchotait à la porte de ma chambre:
«Dors-tu, maman?»

Nous en profitions alors pour bavarder un peu,
Avant qu'il ne se mette au lit,
Après, je murmurais souvent une prière:
«Que Dieu bénisse mon fils».

C'est en avril que je l'ai vu pour la dernière fois;
Il m'avait dit: «Maman, t'en fais pas,
Je pars pour le Vietnam
Et la victoire ne traînera pas.»

Jamais il n'en est revenu.
Mon cœur est encore en morceaux;
«Dors-tu, maman?»
Je n'entendrai plus ces mots.

Je remercie quand même Dieu,
Car mon fils m'a donné tant de bonheur;
Et dans mon coffre à trésors à moi
Repose son souvenir cher à mon cœur.

Muriel Cochrane

Au capitaine Candy
et à toutes ces femmes
qui ne sont pas revenues

L'histoire qui suit raconte un des moments les plus poignants de ma vie. J'étais avec mon bébé dans une toute petite imprimerie de Balboa Island, lorsque j'entendis deux femmes, les propriétaires du commerce, se chuchoter quelque chose. Elles aidaient une cliente à photocopier un article et s'exclamèrent à plusieurs reprises: «Regarde sa photo. Elle est si belle!» Je dus m'avancer un peu pour voir ce qu'elles regardaient.

La cliente s'appelait Marilyn, et l'article qu'elle faisait photocopier parlait d'une des premières femmes pilotes des États-Unis à avoir participé à des missions de combat lors de la Seconde Guerre mondiale. Cette femme pilote avait l'air d'une vedette de cinéma.

«Je suis très étonnée», dis-je à Marilyn. «Mon père a toujours travaillé dans l'aviation et il ne m'a jamais dit que des femmes pilotaient durant la guerre. Vit-elle encore aujourd'hui?»

«Non. Elle est morte quand son B-25 s'est écrasé en 1944. Elle avait seulement 19 ans.» Les yeux de Marilyn se remplirent de larmes lorsqu'elle prononça ces mots.

Je comprenais ce qu'elle éprouvait. Dans ma famille, nous n'avions jamais perdu personne dans un accident d'avion, mais c'était le travail de mon père de parler aux familles des victimes d'accidents d'avion sur des vols commerciaux. Aussi longtemps que je me souvienne, chaque fois qu'il était question d'un accident d'avion à la télévision, nous restions rivés à l'écran en espérant qu'aucune des victimes ne soit quelqu'un de notre connaissance.

Marilyn continua de parler de l'article qu'elle avait apporté. «Et voici le poème qu'ils ont lu aux funérailles de cette femme en 1944. Il s'intitule "Vol céleste". Ce texte est bien connu des femmes pilotes; on le lit toujours lors des cérémonies tenues en mémoire de femmes pilotes.»

Nous étions émues... et pas du tout préparées à ce qu'elle ajouta :

«Ils ont lu ce poème aux funérailles de ma fille.»

Nous nous regardâmes et attendîmes en silence que Marilyn poursuive. Sa fille était le capitaine Candalyn Kubeck (elle se faisait appeler Capitaine Candy), la femme qui pilotait l'avion de la compagnie ValuJet qui s'était écrasé dans les Everglades, en Floride. Elle avait commencé à piloter quand elle avait 16 ans. Marilyn avait eu beau la supplier maintes fois de renoncer à l'aviation, Candy avait toujours refusé. Elle adorait voler, s'élancer dans le ciel, sentir la liberté de l'oiseau. À un moment donné, Marilyn avait cessé de s'objecter et commencé à encourager sa fille à poursuivre son rêve.

La gorge serrée, je me remémorai la période où l'on avait parlé de l'écrasement de l'avion de ValuJet et j'imaginai la terrible épreuve que cette mère avait dû traverser. Les nouvelles annonçant que les pilotes et tous les passagers étaient morts... Les douzaines d'audiences... Les semaines de reportages au sujet de cette tragédie... À un moment donné, la fille de Marilyn avait été blâmée, mais une enquête ultérieure avait déclaré que le Capitaine Candy et son équipage n'étaient aucunement responsables. Puis je repensai à Marilyn, une femme qui avait perdu son enfant, une mère qui avait eu le courage de laisser sa fille s'envoler pour réaliser son rêve. Que pouvais-je lui dire?

Mon bébé dans les bras, je n'aurais pu lui offrir d'autres mots que ceux de l'article qu'elle tenait entre ses doigts tremblants.

Vol céleste

Non, elle n'est pas morte, elle vole seulement
plus haut,
Plus haut que jamais auparavant;
Elle est désormais libérée
Des limites de cette terre.

Plus de plafond à respecter,
Plus de contrainte de carburant,
Plus de risques de s'évanouir,
Plus d'entretien des moteurs.

Merci, mon Dieu, qu'elle puisse ainsi voler
Aussi haut que son regard peut aller,
Là où elle peut se mesurer aux comètes,
Là où elle peut courir sur l'arc-en-ciel.

Car elle est maintenant universelle,
Comme le courage, l'amour, l'espoir,
Et toutes ces autres émotions
Universelles et divines.

Comprenez bien que ce qu'elle craint,
Ce n'est pas d'affronter son destin de pilote,
Mais plutôt la tristesse qu'elle cause,
Le chagrin et les larmes.

Alors, vous, êtres chers, séchez vos larmes;
Non, vous ne devriez pas la pleurer,
Car elle préférerait voir votre courage,
Elle voudrait que vous croyiez ce qui suit.

Elle n'est pas morte.
Vous auriez dû vous en douter,
Elle ne fait que voler plus haut,
Plus haut que jamais auparavant.

Je dis au revoir au Capitaine Candy et à toutes les femmes qui se sont envolées et ne sont jamais revenues. Et merci à toutes les mères qui les ont laissées voler. Vos filles ne sont pas devenues des étoiles, mais elles les ont rejointes.

Diana L. Chapman

9

L'AMOUR
D'UNE GRAND-MÈRE

Si vous dites de ce bébé «il est magnifique et parfait,
il ne pleure pas et n'est pas difficile,
il mange à l'heure et dort au bon moment,
il est un ange en tout temps»...
c'est que vous en êtes la grand-mère.

Teresa Bloomingdale

Qu'est-ce
qu'une grand-mère?

Une grand-mère, c'est une dame qui n'a pas de jeunes enfants à elle, mais qui aime ceux des autres. Un grand-père, c'est une grand-mère au masculin. Il fait des promenades avec les garçons pour parler de pêche à la ligne et d'autres choses du genre.

La seule chose que les grands-mères doivent faire, c'est d'être là. Elles sont si vieilles qu'elles ne devraient pas jouer dur ni courir. Elles devraient se contenter de nous conduire au supermarché où se trouve le petit cheval mécanique et d'avoir dans leur sac à main beaucoup de pièces de monnaie. Ou alors, si elles nous emmènent en promenade, elles devraient ralentir le pas à la vue d'une fleur sauvage ou d'une chenille. Jamais elles ne devraient dire «dépêche-toi».

D'habitude, les grands-mères sont bien en chair, mais pas au point d'être incapables de lacer nos chaussures. Elles portent des lunettes et de drôles de sous-vêtements. Elles peuvent enlever leurs dents et même leurs gencives.

Les grands-mères ne sont pas obligées d'être futées; elles doivent seulement répondre à des questions comme «Pourquoi Dieu n'est-il pas marié?» ou «Pourquoi les chiens courent-ils après les chats?»

Contrairement aux autres grandes personnes qui viennent à la maison, les grands-mères ne nous parlent pas en bébé, car c'est trop difficile à comprendre. Et quand elles nous lisent une histoire, elles ne sautent aucun passage ni ne refusent de relire la même histoire une dixième fois.

Tout le monde devrait essayer d'avoir une grand-mère, surtout celles qui n'ont pas la télévision, car les grands-mères sont les seules grandes personnes qui ont le temps.

Source inconnue

**«Grand-maman, sais-tu quel souvenir
je veux ramener à la maison?
Toi!»**

Reproduit avec l'autorisation de Bil Keane.

Un travail sur mesure
pour moi

*Si j'avais su qu'il serait aussi amusant d'avoir des
petits-enfants, c'est eux que j'aurais eus en premier.*

Anonyme

Grand-mère depuis peu de temps, j'avais attendu
avec impatience qu'on me demande pour la première fois:
«Maman, pourrais-tu garder la petite pendant quelques
jours?» Ma réponse? «Je suis prête! Quand viens-tu nous
la porter?»

Je rayai de mon agenda parties de bridge et matches
de tennis. J'installai un berceau dans la chambre d'invités et je prévins toutes mes amies que j'organisais une
petite fête pour célébrer l'arrivée de notre petite prin-
cesse. Ce chérubin, cet ange descendu du ciel, serait tout
à moi pendant deux jours et demi. Je récolte enfin les
dividendes de ma maternité passée!

Et voilà aussi que je retrouvais mes responsabilités
du passé, quoique je sentais d'instinct que prendre soin
de l'enfant de mon fils serait un tout autre seau à couches
(seau à couches: contenant que nous, femmes du Néan-
derthal, utilisions pour faire tremper les couches avant
de les laver — oui, vous avez bien lu, nous lavions les couches). Je fis donc l'acquisition de la dernière édition du
livre du Dr Spock. En fait, ce que je craignais le plus, c'est
qu'on ne me laisse plus garder ma petite-fille si j'échouais
à la tâche.

Les nouveaux parents arrivèrent avec des vêtements
en quantité suffisante pour tenir deux semaines, assez de

couches jetables pour éponger la rivière Mississippi, un zoo complet d'animaux en peluche, une poussette, un siège pour auto, un horaire complet de leurs déplacements pour les deux prochains jours, le numéro de téléphone de leur pédiatre (dont le bureau était situé à plus de 100 kilomètres), leur propre exemplaire du livre du Dr Spock (annoté dans les marges) et six pages d'instructions. Heureusement, ils avaient laissé leur chien colley à la maison.

Les instructions comprenaient l'horaire complet des heures de sommeil et de repas, de 6 h du matin à 7 h 30 du soir. La petite devait les avoir lues, car elle les suivit à la lettre; pourtant, ses parents avaient écrit en postscriptum «ces heures sont approximatives». La petite chérie n'était au monde que depuis quatre mois, et elle avait déjà à sa disposition quatre adultes prêts à combler ses moindres besoins, disposés à noter par écrit tous ces soi-disant besoins et à appeler le tout un «horaire». Quant aux remarques que mon fils me fit avant de repartir, elles étaient typiques d'un papa de premier enfant.

«Bon, maman, il faut la laisser pleurer parfois.» (Quel sorte de sadique ai-je élevé?!)

«Tu n'es pas obligée de la prendre dans tes bras chaque fois qu'elle ouvre les yeux.» (J'ai attendu quatre mois le moment où je pourrais prendre cette enfant aussi souvent que je le voudrais!)

«C'est une question de discipline, tu sais, et il faut commencer en bas âge.» (Tout un commentaire de la part d'un garçon qui, à 15 ans, a eu besoin de 45 raisons logiques pour le convaincre de ne pas faire 500 km en autostop dans le but de se rendre à un tournoi de basketball collégial!)

Le premier jour, j'étais debout à 5 h 30 du matin. Je dus poireauter jusqu'à 6 h 45 en la regardant respirer.

Comme grand-papa devait se rendre au travail, il ne put rester à la maison à la regarder respirer. Pour lui, partir ne semblait pas un énorme sacrifice.

Ma ravissante petite-fille et moi passâmes une journée merveilleuse. Je la revêtis de ses plus beaux vêtements, puis nous dansâmes dans le salon et nous promenâmes dans la rue en poussette. Elle se comporta magnifiquement avec toutes les grands-mères potentielles qui vinrent nous rendre visite à la maison, et elle dormit presque tout l'après-midi, sans doute épuisée d'avoir été si adorable. Elle continua de suivre à la lettre son horaire. Quel bon bébé!

C'était un pur bonheur que de m'occuper ainsi de mon premier petit-enfant. En la prenant dans mes bras, je revoyais les yeux de son père lorsqu'il était lui-même bébé. Des yeux qui plissaient et pétillaient à chaque gloussement qui sortait de sa petite bouche encore sans dents. Je collais mon visage sur ses joues douces et je respirais sa délicate odeur de bébé, une sensation que j'avais oubliée depuis longtemps et qui m'avait beaucoup manqué. Ma petite-fille ajoutait à ma vie une dimension impossible à décrire ou à expliquer. Et tous les soucis que nous avait causés son père, depuis les coliques jusqu'à la démolition de notre voiture, furent pardonnés.

La deuxième nuit, la petite décida de pleurer pour voir combien de temps il faudrait à sa grand-mère pour se rendre jusqu'à son berceau. J'arrivai chaque fois en courant. Elle se réveilla d'abord à 1 h du matin, affamée. Je lui donnai un biberon. Elle se réveilla ensuite à 2 h 30, prête à sourire et à jouer. À 4 h du matin, elle mâchouillait son poing. Je lui donnai un autre biberon. À 5 h, son boire de 4 h se retrouva partout sur elle et dans le berceau. Ni elle ni moi ne nous réveillâmes pour le boire de 6 h 30. Je ne pense pas qu'elle en ait pâti.

Elle resta heureuse et satisfaite tout le reste du temps qu'elle passa avec nous, profitant de son statut de vedette. Puis, cinq minutes avant que ses parents reviennent, elle se réveilla en hurlant sans raison apparente; peut-être avait-elle tout simplement oublié son horaire. Lorsque ses parents entrèrent, ils trouvèrent une grand-mère décoiffée, le chemisier sorti de la jupe, qui arpentait le salon en fredonnant, un bébé hurlant dans les bras. La mère m'enleva immédiatement la petite des bras. Celle-ci cessa immédiatement de pleurer. Je fus incapable de les convaincre que c'était la première fois depuis deux jours qu'elle pleurait ainsi.

J'avais cependant passé avec succès mon premier examen de grand-maman gardienne, et ils me confièrent leur petite une autre fois. Puis d'autres fois encore. Nos autres enfants firent de même et, tout en berçant mon septième petit-enfant, ma chance de débutante se transforma en une solide expérience.

Il s'est écoulé 20 ans depuis que j'ai entendu pour la première fois «Maman, pourrais-tu garder...» et ma réponse reste la même: «Je suis prête. Quand viens-tu nous le porter?»

Billie B. Chesney

THE FAMILY CIRCUS® *par Bil Keane*

«Ce n'est pas une VRAIE gardienne.
C'est grand-maman.
Elle, elle AIME s'occuper de nous.»

Le jardin de grand-maman

Chaque année, grand-maman Ines plantait des tulipes dans son jardin et attendait avec une impatience presque enfantine qu'elles éclosent dans toute leur splendeur au printemps suivant. Grâce à ses tendres soins, les tulipes fleurissaient fidèlement chaque année au mois d'avril; elle n'était jamais déçue. Elle disait toutefois que les fleurs qui embellissaient réellement sa vie, c'était ses petits-enfants.

Moi, par contre, j'étais celle qui refuserait de se laisser avoir.

J'avais 16 ans quand on m'envoya vivre avec ma grand-mère. Mes parents vivaient alors outre-mer et j'étais une jeune femme extrêmement perturbée, pleines d'idées fausses et de colère contre mes parents parce qu'ils n'étaient plus capables de s'occuper de moi et de me comprendre. Adolescente rebelle et malheureuse, j'étais sur le point d'abandonner mes études.

Grand-maman était une femme menue; tous ses enfants et même ses petits-enfants étaient plus grands qu'elle. Sa beauté classique était d'une autre époque. Ses cheveux étaient foncés et élégamment coiffés; ses yeux bleus étaient intenses, pétillants de vie et d'énergie. Elle faisait preuve d'une loyauté à toute épreuve envers la famille, et son amour était aussi profond et sincère que celui d'un enfant. Malgré tout cela, je croyais qu'il me serait plus facile d'ignorer ma grand-mère que mes parents.

J'emménageai dans sa modeste ferme sans dire un mot, rôdant la tête basse et le regard abattu tel un animal blessé. J'avais renoncé à tout lien avec les autres pour me réfugier dans l'épaisse coquille de mon apathie. Je ne laissais personne pénétrer mon univers intime, car je craignais par-dessus tout qu'on découvre mes faiblesses. Bref, j'étais persuadée que la vie se résumait en un combat amer qu'il valait mieux mener seule.

J'attendais de ma grand-mère qu'elle me laisse tranquille et je n'avais nullement l'intention d'accepter autre chose de sa part. Elle, cependant, refusa de lâcher prise aussi facilement.

L'école commença et j'assistai à mes cours de façon sporadique, consacrant le plus clair de mon temps à traîner en pyjama dans ma chambre, les yeux rivés sur l'écran de télévision. Faisant fi de mon attitude, ma grand-mère faisait irruption chaque matin dans ma chambre comme un rayon de soleil inopportun.

«Bonjour», disait-elle d'une voix chantante, levant avec enthousiasme le store de ma fenêtre. J'enfouissais alors ma tête sous les couvertures, feignant d'ignorer sa présence.

Si je me hasardais à l'extérieur de ma chambre, je me butais à un barrage de questions bien intentionnées de sa part à propos de ma santé et de mes opinions en général. Je répondais en marmonnant des monosyllabes, mais cela ne semblait pas la décourager. En fait, elle faisait comme si mes marmonnements vides de sens la passionnaient; elle m'écoutait avec la même solennité et le même intérêt que si nous étions engagées dans une profonde conversation sur mes secrets les plus intimes. Et les rares fois où je me décidais à lui offrir une réponse de plus d'un mot, elle applaudissait joyeusement et m'adressait un large sourire, comme si je venais de lui offrir le plus précieux des cadeaux.

Au début, je me disais qu'elle ne saisissait tout simplement pas mes messages. Toutefois, en dépit de son peu d'instruction, je sentais qu'elle possédait le bon sens qu'ont les personnes naturellement intelligentes. Mariée à l'âge de 13 ans durant la Crise des années 1930, elle avait appris tout ce qu'elle avait besoin de savoir sur la vie en élevant cinq enfants dans des conditions financiè- res difficiles, travaillant comme cuisinière dans les res- taurants des autres, puis dans son propre restaurant.

Je ne fus donc pas surprise lorsqu'elle insista pour me montrer à faire du pain. J'étais si maladroite quand venait le temps de pétrir la pâte qu'elle devait prendre la relève à cette étape. Cependant, elle ne me permettait jamais de sortir de la cuisine avant que la pâte soit prête à lever. Ce fut dans ces moments, lorsqu'elle était concen- trée sur sa tâche plutôt que sur moi et que je regardais son jardin par la fenêtre de la cuisine, que je commençai à lui parler. Elle m'écoutait avec une telle attention que cela m'embarrassait.

Lentement, à mesure que je voyais que l'intérêt de ma grand-mère à mon égard ne s'émoussait pas avec le temps, je m'ouvris de plus en plus à elle. Secrètement, j'anticipais nos entretiens avec de plus en plus de ferveur.

À partir du moment où les mots me vinrent pour lui parler, ils ne me manquèrent plus. Je commençai à fré- quenter assidûment l'école, et chaque après-midi je ren- trais en toute hâte à la maison pour la trouver assise dans sa chaise favorite, souriante et prête à écouter le compte-rendu détaillé de ma journée.

Un jour, pendant ma première année au collège, j'entrai en courant dans la maison pour annoncer une grande nouvelle à ma grand-mère: «J'ai été nommée rédactrice en chef du journal au collège!»

Elle fut si contente qu'elle joignit les mains sur sa bou- che. Plus émue que je ne l'avais jamais été, elle prit mes mains entre les siennes et les serra de toutes ses forces. Je la regardai droit dans les yeux, et son regard pétillait.

Elle me dit: «Je t'aime bien, tu sais! Je suis si fière de toi!»

Ses mots m'impressionnèrent tellement que je restai bouche bée. Pour moi, ces mots valaient des milliers de «je t'aime». Je savais que son amour était inconditionnel, mais encore fallait-il gagner son amitié et sa fierté. À partir du moment où cette femme extraordinaire m'accorda à la fois son amitié et sa fierté, je commençai à me dire que j'étais peut-être, après tout, quelqu'un de valable et d'aimable. Elle éveilla en moi le désir de découvrir mon propre potentiel et une raison de laisser les autres voir mes faiblesses.

Ce jour-là, je décidai d'essayer de mener ma vie comme elle l'avait fait: avec énergie et intensité. J'éprouvais soudainement l'envie d'explorer le monde, la personne que j'étais et le cœur des autres, ainsi que d'aimer librement et inconditionnellement comme elle l'avait fait. Je compris aussi que je l'aimais, pas parce qu'elle était ma grand-mère, mais parce qu'elle était une personne formidable qui m'avait enseigné comment s'aimer soi-même et aimer les autres.

Ma grand-mère décéda le printemps suivant, presque deux ans après mon arrivée chez elle et deux mois avant l'obtention de mon diplôme collégial.

Elle s'éteignit entourée de ses enfants et de ses petits-enfants qui se prirent par la main et se remémorèrent la vie pleine d'amour et de joie qu'elle avait vécue. Avant qu'elle ne quitte ce monde, chacun d'entre nous se pencha sur son lit, les yeux et le visage pleins de larmes, et l'embrassa tendrement. Lorsque mon tour arriva, je déposai un baiser sur sa joue, pris sa main et lui chuchotai: «Je t'aime tellement, grand-maman, et je suis si fière de toi!»

Aujourd'hui, alors que je suis sur le point d'obtenir mon diplôme d'études universitaires, je repense souvent à ce qu'elle m'a dit et j'espère qu'elle serait toujours aussi fière de moi. Je m'émerveille encore de la gentillesse et de la patience avec lesquelles elle m'a aidée à sortir d'une enfance difficile et à devenir une jeune femme sereine. Je l'imagine au printemps, telle les tulipes de son jardin, et nous, ses descendants, qui fleurissons toujours avec un enthousiasme égal au sien. Et je m'efforce de vivre une vie qui ne la décevrait pas.

Lynnette Curtis

THE FAMILY CIRCUS® *par Bil Keane*

**«Rappelez-vous.
On embrasse grand-maman
avant de lui demander
ce qu'elle vous a apporté.»**

Dîner en ville

Nous sommes allés dans un petit café,
Tout près du campus de l'université,
Pour manger tranquillement ensemble,
Parmi les étudiants
Qui mangeaient tout en réglant le sort du monde.

Tu t'es installé à la table,
L'air suave et débonnaire dans ton jean et ton col roulé,
Les cheveux ébouriffés et soyeux,
Les yeux pétillants et espiègles.
Tes charmes nous ont séduits, moi et les gens autour.

La serveuse t'a tout de suite adoré,
Elle était aux petits oignons avec toi,
«Une autre serviette de table? Bien sûr!»
«D'autres craquelins pour la soupe? Certainement!»

Tu as flirté ouvertement avec elle,
Ainsi qu'avec toutes les hôtesses,
Leur envoyant ton sourire de tombeur,
Les incitant à te parler,
Tout en jouant avec ta nourriture.

Tu es sorti de table deux fois,
Pour te promener autour
Et répandre tes charmes ailleurs,
T'arrêtant à une ou deux tables,
Souriant de plus belle,
Suscitant la conversation.

Je t'ai observé pendant que tu attendrissais les regards,
Et je savais que tu avais gagné mon cœur.

Puis, déposant tranquillement ma serviette de table,
Près de mon assiette terminée,
J'ai décidé qu'il était temps de partir;
Je suis allée te chercher
Et t'ai proposé de venir dire au revoir.

Je t'ai alors pris dans mes bras pour te mettre
        dans ta poussette,
Et pendant que nous nous dirigions vers la sortie,
Tu as envoyé la main à tout le monde,
Au terme de ton premier dîner avec moi, ta grand-mère,
        alors que tu avais seulement deux ans.

                                        Maryann Lee Jacob

Quelque chose de solide

Jamais je n'oublierai le jour qui a précédé la naissance de mon troisième fils. Hospitalisée, ma mère se remettait d'un accident cérébro-vasculaire qui avait paralysé le côté gauche de son corps et affecté son élocution. Ma sœur et moi étions allées la visiter chaque jour pour l'encourager et tenter de la faire parler. Le médecin avait déclaré qu'elle parlerait le jour où elle aurait quelque chose à dire.

La veille de la naissance de mon fils, maman essaya de me dire quelque chose. Elle me regarda et désigna la porte avec sa tête. Elle essaya d'articuler les mots que lui criait son esprit, mais sa bouche refusait de coopérer. Je l'embrassai et nous pleurâmes ensemble. Je sentais qu'elle se faisait du souci pour moi et qu'elle voulait que je rentre à la maison, mais je savais qu'il me restait un mois de grossesse à faire. De toute façon, je voulais être auprès d'elle. Nous n'avions pas besoin de parler pour nous comprendre, mais un seul mot d'elle nous aurait donné tellement d'espoir. «Je reviendrai demain», dis-je finalement en la saluant de la main et en me dandinant vers la porte. Je la vis secouer la tête de désapprobation, comme pour me dire: «Reste chez toi et repose-toi.»

Maman avait raison. J'aurais dû me reposer. Sept heures plus tard, on me transporta d'urgence au même hôpital. Les médecins déclarèrent que c'était un cas de placenta praevia. Tout ce que je savais, c'était que mon bébé et moi étions dans le pétrin.

Avec l'aide de Dieu et d'excellents médecins, je me retrouvai couchée dans un lit, quelques étages au-dessus de ma mère, avec un magnifique petit garçon dans les bras. Je le regardai longuement pendant que j'essayais de lui trouver un prénom. Le prénom, c'est quelque chose d'important. Il doit être ancré dans une tradition dont l'enfant pourra être fier. La césarienne d'urgence que j'avais subie m'avait toutefois tellement épuisée sur le plan émotif et physique que rien ne me venait à l'esprit.

On avait donné à notre premier fils le prénom de mon mari: Daniel. Notre deuxième garçon, lui, portait le deuxième prénom de mon mari, Michael. Malheureusement, mon mari n'avait pas d'autres prénoms! Quant à notre fille, elle avait été prénommée en l'honneur du plus beau comté d'Irlande, Kerry. Tous les autres prénoms masculins de la famille étaient déjà portés à deux ou trois reprises par mes nombreux neveux. Bien sûr, mon oncle me rappela que Finbar était le saint patron de notre famille, mais je savais que si notre troisième fils s'appelait «Finbar Ryan», il allait devoir apprendre à se défendre avant même d'apprendre à marcher!

Le temps filait et les infirmières me pressaient de faire mon choix. Soudain, j'eus une idée. J'appelai l'infirmière et lui demandai d'aller porter un petit mot à la chambre de ma mère située au troisième étage. Mon petit mot disait: *Maman, c'est un garçon. Accepterais-tu de lui choisir un prénom? Je t'aime, Kathy.*

Plusieurs heures s'écoulèrent et je n'avais toujours aucune réponse de ma mère. Chaque fois que je prenais mon bébé dans mes bras, je le berçais et lui murmurais à l'oreille: «Bientôt, tu auras un prénom.» Les larmes aux yeux, je pensais alors à maman et à mon désir d'aller la voir. À un moment donné, l'infirmière apparut à la porte de ma chambre. Son visage était espiègle.

Elle prit le bébé et me fit «chuuut!». Intriguée, je demandai: «Qu'est-ce qui se passe?». Elle me fit signe de m'asseoir dans le fauteuil roulant et de ne pas parler tandis qu'une autre infirmière emmenait mon bébé à la pouponnière. Elle me transporta ensuite le long d'un couloir plutôt sombre. Là, devant la pouponnière, se trouvaient Dan et ma mère, souriant de l'air le plus coquin que je leur connaissais.

«Maman!», m'exclamai-je, sentant mes yeux se gonfler de larmes. C'était la première fois qu'elle quittait le troisième étage. Il y eut ensuite un long silence, puis elle leva la main gauche et pointa du doigt la pouponnière. Les infirmières avaient approché mon bébé de la fenêtre. Très lentement, laborieusement, elle prononça ces mots: «Appelle... -le... Pierre. Nous... avons... besoin... de quelque... chose... de solide.»

Kathy Ryan

10

MERCI, MAMAN

*Tout ce que je suis et espère être,
je le dois à ma mère.*

Abraham Lincoln

Quand une mère célèbre
ses 75 ans

Secrètement, elle espère recevoir une bonbonne d'oxygène en cadeau.

Toute sa vie, elle a crié, répété et prié 1 245 187 fois «Jésus, Marie, Joseph, accordez-moi la patience!»

Ses mains ont suspendu des couches sur la corde à linge, stérilisé des biberons, transporté des bébés du troisième étage, repassé des salopettes et poussé fièrement des poussettes.

Elle a épluché plus de pommes de terre que six marines en corvée de patates.

Ses cheveux ont été bouclés aux bigoudis, frisés, colorés, coiffés de différentes façons, du style petit page, caniche à la coupe abeille; ils ont reçu une énième permanente pour finalement devenir argentés.

Le «boudoir», c'était l'endroit où elle recevait parents et amis; la «dépense», c'était l'endroit où elle rangeait les provisions; la «glacière», c'était le contenant où elle conservait la crème glacée; et la «laveuse-essoreuse», c'était la machine qui lui était réservée chaque mardi.

Elle a obtenu son diplôme d'infirmière à coups de grippes, de rougeoles, de varicelles, d'oreillons, de pneumonies, de poliomyélites, de tuberculoses, de fièvres, de points de suture, de bras fracturés et de cœurs brisés.

À un moment ou à un autre de sa vie, sa penderie a contenu des robes d'intérieur, des chapeaux à plumes, des gants blancs, des jupes très courtes et des jupes très longues, des tailleurs-pantalons, des robes de chiffon à crinoline, des robes moulantes, un manteau du dimanche et les jouets commandés par catalogue d'un grand magasin en prévision de Noël.

Son cœur a connu l'extase de l'amour conjugal, la joie d'avoir des enfants, la peine éprouvée devant leurs erreurs, la chaleur des amitiés de toute une vie, le bonheur des célébrations de mariages, le plaisir d'avoir des petits-enfants et des arrière-petits-enfants.

On ne pourrait compter les planchers qu'elle a lavés, les repas qu'elle a préparés, les cadeaux qu'elle a emballés, les leçons qu'elle a fait répéter, les histoires qu'elle a lues, les excuses qu'elle a entendues, les prières qu'elle a murmurées à Dieu chaque jour.

Ses bras ont bercé plusieurs générations de bébés. Ses mains ont concocté d'innombrables «mets favoris». Ses genoux ont fléchi pour prier encore et encore pour ceux qu'elle aimait. Sa bouche a baisé d'innombrables petits bobos. Son dos s'est courbé pour laver des petits cow-boys souillés de boue, pour ramasser des traîneries d'adolescents, pour cueillir des fleurs dans son jardin, et pour finalement rester courbé.

Elle a vécu sa vie dans les rires et les pleurs, observé le coucher de soleil de la veille devenir le lever de soleil rempli d'espoir et de promesse du lendemain. Grâce à elle et à l'homme qui l'a épousée, la vie et l'amour de notre famille continuent de générations en générations.

Quand une mère célèbre ses 75 ans, que ceux qui l'entourent de leur amour soient bénis.

Alice Collins
Soumise par Geraldine Doyle

Six des sept merveilles
de mon univers

Les deux seules choses durables qu'on peut espérer
léguer à ses enfants sont celles-ci: des racines et des
ailes.

Hodding Carter

«Voilà une chose que je ne ferais pas si je n'avais pas
eu sept enfants», me confia ma mère pendant que nous
roulions dans le désert du Nouveau Mexique en Chevro-
let décapotable. Cela faisait deux jours qu'elle était arrivée à Tucson pour m'accompagner dans mon déménagement à Washington, D.C. Dès que je lui avais annoncé
mon déménagement, elle m'avait offert son aide sans
attendre que je lui demande. Elle avait pris congé de son
travail, réservé une place dans un avion et pris un vol en
partance de Chicago pour venir me donner un coup de
main et me tenir compagnie.

On entend souvent dire que dans une famille de sept
enfants, il y en a toujours un qui est négligé, comme si
cela relevait d'une équation mathématique (nombre
d'heures dans une journée divisé par nombre d'enfants
égale quantité d'attention accordée à chacun). Ce n'est
pas du tout ce que j'ai vécu. J'ignore comment maman y
est arrivée, mais jamais je n'ai senti que je passais après
les autres — ni après mes frères et sœurs, ni après sa carrière ou ses activités, ni même après mon père.

Je me rappelle qu'enfant, assise sur ses genoux, je
l'écoutais m'expliquer que son cœur était divisé en huit
parts égales, une pour chacun de nous et une pour papa.

Je ne me rappelle plus du tout où étaient mes frères et sœurs quand ma mère et moi jouions à «Mme O'Leary et Mme Foley», un jeu qui consistait à potiner au sujet des voisines pendant que nous prenions le thé et mangions des biscuits. Ou encore quand elle me racontait une histoire à l'heure du coucher et me chantait ses berceuses.

Quand j'ai commencé la maternelle, maman m'avait dit que si jamais je me sentais seule, je n'avais qu'à lui envoyer un baiser en pensée; elle le recevrait et m'en enverrait un en retour. Je croyais réellement qu'elle recevait mes baisers et que je recevais les siens en retour, et je le crois encore aujourd'hui. D'ailleurs, le téléphone sonne toujours lorsque j'ai le plus besoin d'elle.

Où que je sois, quoi qu'il se passe dans ma vie, c'est toujours à ma mère que j'en parle en premier. Aussi me suis-je souvent demandé ce que je ferais sans elle. J'en suis toutefois venue à comprendre qu'elle sera *toujours* là pour moi. En effet, comme elle a transmis le meilleur d'elle-même à ses sept enfants, jamais je ne me sentirai seule lorsqu'elle ne sera plus là...

Quand j'aurai besoin de connaître son opinion, que ce soit sur l'éducation de mes enfants ou sur ma prochaine coupe de cheveux, j'appellerai ma sœur Linda. Elle me donnera les conseils avisés, honnêtes et pleins de bon sens que m'aurait donnés maman.

Quand j'aurai un problème à résoudre, j'appellerai mon frère Bill, car il a hérité de la sagesse et de la créativité de maman. Comme elle, il est capable de regarder le monde et de me convaincre qu'il devrait en être le grand patron.

Quand j'aurai l'impression d'avoir trop de choses à faire et pas assez de temps pour les faire, quand j'aurai besoin de la force et du sens de l'humour de maman, j'appellerai ma sœur Gay. Elle élève quatre enfants et occupe trois emplois, mais elle trouve toujours du temps pour bavarder, écouter et rigoler.

Quand la vie me semblera fade et répétitive, j'appellerai mon frère Jim pour recevoir une dose de magie de ma mère. Comme elle, Jim a le don de s'émerveiller devant toute chose. Le jour de Noël, qu'il parle à un enfant ou à un adulte, il est toujours prêt à jurer qu'il a vu un renne dans le ciel.

Quand je voudrai la compassion de maman, quand j'aurai besoin de parler à quelqu'un qui m'écoutera sans me juger, j'appellerai ma sœur Mary. Elle fera du thé, me laissera pleurer et saura d'instinct à quels moments rester silencieuse.

Et enfin, quand j'aurai besoin du courage de maman, quand je serai incapable de me décider à faire une chose que je dois faire, j'appellerai ma sœur Doyle. Bien qu'elle soit la benjamine, elle sait toujours ce qu'il faut faire et a toujours assez confiance en elle pour passer à l'action.

Et voilà. Ma mère et moi roulions en voiture dans le désert pendant qu'elle me parlait des choses qu'elle ne ferait pas si elle n'avait pas eu sept enfants. Eh bien, c'est la même chose pour nous: il y a *beaucoup* de choses merveilleuses que nous n'aurions pas si elle n'avait pas eu sept enfants, car *nous* sommes ce qu'elle nous a laissé de plus précieux.

Jane Harless Woodward

La boîte aux lettres

La boîte aux lettres familiale se trouvait à l'entrée du chemin menant à notre maison, un chemin d'un kilomètre de long. Sur la boîte était écrit notre nom de famille en grosses majuscules blanches que tous pouvaient voir: BURRES. Pour les enfants que nous étions alors, cette boîte de métal posée sur un poteau était une source d'attente infinie et d'autonomie, ainsi qu'une promesse d'amour inconditionnel.

C'est ma mère qui avait créé ce climat d'aventures pour nous, probablement de façon intentionnelle. Elle croyait que les enfants avaient besoin d'apprendre des choses. Pour elle, tout était prétexte à l'apprentissage, et elle était une enseignante hors pair.

Chaque jour, aux environs de midi, ma mère descendait le chemin pour aller chercher le courrier. Le samedi, lorsque nous la voyions partir vers la boîte aux lettres, nous cessions toutes nos activités et nous nous précipitions pour nous joindre à elle, tout comme le chien de la famille. Maman aimait être entourée de ses enfants et nous accueillait avec enthousiasme. La promenade de deux kilomètres aller-retour entre la maison et la boîte aux lettres n'était guère facile pour nos petites jambes, mais elle en valait le coup. En effet, maman était toujours de bonne humeur dans ces moments. Pour nous, c'était une occasion en or de sentir son amour.

Une fois tous arrivés à la boîte aux lettres, maman ramassait le courrier et nous disait s'il y avait une lettre adressée à l'un d'entre nous — sans toutefois divulguer le nom de l'heureux destinataire. En procédant de la sorte, elle maintenait le suspense jusqu'à ce que nous soyons revenus à la maison, moment où elle nous remettait le courrier qui nous était destiné. Maman nous avait appris à respecter l'intimité des autres et à nous réjouir même quand nous ne recevions pas de courrier. «Tiens, cette lettre t'appartient», disait-elle. Nous pouvions alors ouvrir le courrier qui nous était adressé sans qu'elle regarde au-dessus de notre épaule.

Étonnamment, nous recevions tous du courrier à un moment ou à un autre. Plus étonnant encore, chaque enfant recevait à peu près la même quantité de courrier que les autres. Parfois, c'était un magazine qui était adressé à l'un d'entre nous; à d'autres occasions, c'était une lettre d'un oncle, d'une tante, de grand-maman, de grand-papa ou du professeur de catéchèse (qui était également notre voisine et une bonne amie de maman). Tous, sans exception, recevaient quelque chose à un moment donné. Même les dépliants publicitaires nous parvenaient adressés à l'un d'entre nous. Que le courrier soit écrit par une personne ou par une machine ne nous importait guère, cependant. Le seul fait d'en recevoir nous excitait et nous faisait sentir importants.

À partir du moment où j'eus l'âge de comprendre ce qu'est le courrier jusqu'au jour où je quittai la maison, cette habitude qui nous permettait à nous, les enfants, d'ouvrir notre propre courrier ne changea pas. Ce n'est que beaucoup plus tard que j'ai compris une chose importante: nous avions certes beaucoup de plaisir à ouvrir du courrier, mais maman avait autre chose en tête.

Parfois, durant nos promenades vers la boîte aux lettres, maman en profitait pour nous raconter des histoires en lien avec ce que nous vivions alors. D'autres fois, elle en profitait pour nous parler de Dieu. Parfois, ses histoires étaient à propos de Dieu. Maman saisissait toutes les occasions de nous faire prendre conscience des miracles de la création. Pas un oiseau ou une abeille, pas une fleur ou un animal ne passaient inaperçus. Elle portait tout à notre attention afin que nous puissions apprécier le monde: le comportement fascinant des animaux et insectes de toutes sortes; la beauté et la complexité dans les couleurs, les formes et les parfums des fleurs; la façon dont les abeilles butinent; le soleil infiniment puissant qui nous réchauffe et nous éclaire.

Nous l'adorions. Elle représentait tout pour nous. Maman était une femme joyeuse, une éternelle optimiste, toujours souriante, débordante d'énergie. Elle ponctuait ses phrases de grands éclats de rire qui faisaient rebondir sur ses épaules ses longs cheveux bruns si soyeux.

C'est pourquoi les boîtes aux lettres, surtout celles qui sont séparées de la maison par un long chemin, revêtent pour moi un sens particulier. Elles me rappellent l'amour de ma mère, les valeurs et les croyances qu'elle nous a transmises avec tendresse. Elle était l'incarnation de la joie, de l'amour et du respect, et c'est ce qu'elle nous a enseigné à chaque jour.

Bettie B. Youngs

Les richesses de ma mère

Une mère capable d'élever sa fille sans que celle-ci s'aperçoive de la pauvreté dans laquelle elle vit doit être une femme assez spéciale. C'est seulement rendue au milieu de mes études au primaire que j'ai pris conscience de la pauvreté de ma famille. J'avais tout ce dont j'avais besoin: neuf frères et sœurs comme compagnons de jeu, des livres à lire, une poupée faite à la main en guise de confidente, et des vêtements soignés que ma mère reprisait consciencieusement quand elle ne les confectionnait pas elle-même. C'est ma mère qui lavait et coiffait mes cheveux chaque soir pour le lendemain à l'école, qui nettoyait et polissait mes chaussures brunes. J'étais heureuse à l'école; j'aimais l'odeur des crayons neufs et de l'épais papier à dessin que nous donnait l'institutrice pour nos projets. J'absorbais comme une éponge tout ce qu'on m'enseignait, méritant même le privilège de porter des messages au bureau du directeur de l'école une fois par semaine.

Je me rappelle encore la fierté que je ressentis, un jour, en allant porter le décompte des enfants qui mangeaient à l'école. En retournant à ma classe, je croisai deux élèves plus âgées qui descendaient l'escalier. «Regarde, c'est la fille pauvre», chuchota l'une d'elle à sa copine. Ensuite, elles éclatèrent de rire. Rouge de honte et retenant mes larmes, je passai une journée misérable.

En rentrant à la maison ce jour-là, j'essayai de comprendre les sentiments contradictoires que leur remarque avait fait naître en moi. Je jetai un œil critique sur ma robe et remarquai pour la première fois à quel point elle était usée, sans compter qu'un pli à l'ourlet indiquait que ce vêtement avait appartenu à mes sœurs. Quant à mes horribles souliers bruns de garçon, les seuls qui avaient suffisamment de support pour m'empêcher de me renverser les pieds, ils étaient soudainement devenus une source d'embarras.

Une fois rendue chez moi, je m'apitoyai sur mon sort. On aurait dit que je pénétrais dans la maison d'un étranger, jetant un regard critique sur tout. Les carreaux usés du plancher de la cuisine. Les traces de doigts sales sur la peinture défraîchie du couloir. Dégoûtée, je restai insensible à l'accueil enthousiaste de ma mère qui s'affairait à nous préparer un goûter: biscuits à l'avoine et lait en poudre. Convaincue que j'étais la seule fille de l'école à boire du lait en poudre, je broyai du noir dans ma chambre jusqu'à l'heure du souper, me demandant comment j'aborderais la question de la pauvreté avec maman. Pourquoi ne m'avait-elle rien dit? Pourquoi avait-il fallu que je l'apprenne de la bouche de quelqu'un d'autre?

Lorsque j'eus suffisamment de courage, j'allai dans la cuisine. «Sommes-nous pauvres?», demandai-je sur un ton provoquant. Je m'attendais à ce qu'elle nie tout, à ce qu'elle justifie notre situation ou du moins à ce qu'elle m'offre une explication satisfaisante afin que j'aie moins honte. Toutefois, ma mère me regarda d'un air pensif et resta silencieuse pendant une bonne minute. «Pauvre?», répéta-t-elle en déposant le couteau à légumes avec lequel elle était en train d'éplucher les patates. «Non, nous ne sommes pas pauvres. Regarde tout ce que nous avons!», répondit-elle en montrant de la main mes frères et sœurs qui jouaient dans la pièce voisine.

À travers ses yeux, je vis le poêle à bois qui répandait une douce chaleur dans la maison, les rideaux colorés et les catalognes faites à la main qui décoraient notre demeure, l'assiette pleine de biscuits à l'avoine sur le comptoir. Par la fenêtre de la cuisine, je vis la vaste cam-

pagne qui offrait tant de possibilités de jeux et d'aventures pour une famille de 10 enfants. Elle ajouta: «Certains
pensent que nous sommes pauvres parce que nous
n'avons pas d'argent. Pourtant, nous avons tant de
choses.» Puis, avec un sourire de contentement, elle continua à préparer le repas, ignorant que ce soir-là, c'est
beaucoup plus qu'un estomac vide qu'elle avait nourri.
Elle avait nourri mon cœur et mon âme.

Mary Kenyon

The Family Circus® *par Bil Keane*

«Comment réussissez-vous
à diviser votre amour entre quatre enfants?»

«Je ne le divise pas. Je le multiplie.»

Une extraordinaire femme ordinaire

Dire que ma mère était une personne plutôt banale n'est ni une critique, ni une plainte. En fait, elle était tout simplement le genre de femme qui passe inaperçue. Le monde est rempli de «madame-tout-le-monde».

Ma mère, qui avait grandi dans une famille ravagée depuis des générations par l'alcoolisme, décida à l'âge de 17 ans de quitter Saint-Louis parce qu'elle ne pouvait plus, comme elle l'explique, «supporter une minute de plus ces disputes, ces beuveries et cette folie.» Elle s'installa chez un cousin qui vivait avec sa famille en Californie pour commencer une nouvelle vie. C'était en 1959.

En 1960, elle épousa mon père, qui travaillait dans la Marine américaine. Au cours des quatre années qui suivirent, elle mit au monde Tammy, Tina et moi, Jerry. En 1967, mes parents achetèrent une modeste maison dans la région d'Orange County. En 1975, après avoir tout essayé, ils divorcèrent. J'avais 12 ans.

J'ignore si c'est à cause du bouleversement que provoque immanquablement un divorce, mais je commençai tout d'un coup à voir ma mère davantage comme une personne que comme un parent. Je vis pour la première fois son visage aux traits quelconques, ses yeux très cernés et l'embonpoint qu'avaient laissé ses grossesses. Les hommes ne regardaient pas ma mère. Ils ne semblaient pas remarquer la flamme qui brillait dans ses yeux et que je voyais de plus en plus.

Comme le font souvent les mères qui élèvent seules leurs enfants, maman se trouva un deuxième emploi, de soir, dans un magasin de vins et spiritueux. Elle émettait des formulaires. Elle avait l'habitude de me promettre une glace trempée dans le chocolat si j'acceptais de l'accompagner jusqu'à son travail, car, disait-elle, c'était sa seule occasion de passer un peu de temps avec moi. Lorsqu'elle arrivait au magasin, elle plaçait sur le comptoir des piles de formulaires; c'est à peine si les hommes derrière le comptoir levaient les yeux sur elle. Ma mère semblait ne pas exister pour les hommes.

Quand je devins un jeune homme, j'éprouvai de plus en plus de rancœur face à l'indifférence que les autres manifestaient à l'endroit de ma mère. Moi, je connaissais sa grande intelligence et l'immense culture qu'elle avait acquise grâce à sa passion des livres. On pouvait le voir dans ses yeux. Il ne s'agissait pas d'une de ces observations critiques que font les adolescents au sujet de leurs parents. Je constatais tout simplement que l'héroïsme de ma mère passait inaperçu. Et cela me peinait énormément.

Le 19 février 1986, je reçus un appel téléphonique pendant mon quart de travail à l'entrepôt d'un magasin en gros. C'était ma mère qui m'annonçait que le rhume dont elle avait été incapable de se débarrasser depuis deux mois était en quelque sorte «emprisonné» par une tumeur dans son poumon gauche. Une semaine plus tard, elle dût subir une intervention chirurgicale; lorsque le chirurgien constata que la tumeur s'était enroulée en spirale autour de l'aorte jusqu'au cœur, il referma son thorax aussitôt. Il parla longuement de la chimiothérapie et de la radiothérapie, mais son regard nous laissait peu d'espoir.

La femme ordinaire qu'était ma mère combattit sa tumeur avec une fougue de guerrière, mais personne ne sembla s'en rendre compte. Elle endura les effets secondaires des radiations dans son larynx, ayant de plus en plus de mal à avaler et même à respirer. Elle affronta ensuite le cauchemar de la chimiothérapie et acheta même une perruque d'un roux criard dans l'espoir de dédramatiser sa maladie auprès de ses enfants. Cela ne fonctionna pas. Elle jura de «terrasser la bête» jusqu'au 2 février 1987, jour où elle sombra dans le coma et mourut, entourée de ses trois enfants qui lui tenaient les deux mains et caressaient ses joues fades et sans éclat. J'étais révolté.

J'en voulais à la terre entière de ne pas avoir remarqué ma mère. *Moi*, je l'avais remarquée. J'avais été témoin du combat et de la solitude qui l'avaient laissée meurtrie. Comment se pouvait-il que personne n'ait vu que cette femme au physique ingrat était en réalité un être humain magnifique? Je restai furieux jusqu'aux funérailles.

Le jour des funérailles, des tas de gens que je ne connaissais pas entrèrent dans la sobre petite chapelle où ma mère allait recevoir un dernier hommage: d'anciennes compagnes de travail qui l'avaient vue pour la dernière fois 20 ans auparavant, quand j'étais encore aux couches; des amis à elle dont je n'avais jamais entendu parler et qui l'avaient côtoyée au travail jusqu'au moment elle avait dû quitter parce qu'elle était trop malade. Ces gens envahirent la chapelle, nous prenant dans leurs bras mes sœurs et moi. Même un ancien patron pour qui elle avait travaillé huit ans auparavant vint me serrer la main et déclara que ma mère «avait été la personne la plus gentille qu'il avait jamais rencontrée.»

J'avais commencé à voir ma mère comme une personne à l'âge de 12 ans et j'avais trouvé qu'elle menait une existence morne. Maintenant, je regardais autour de moi. La chapelle était bondée de gens bien qui avaient bel et bien remarqué ma mère et qui avaient trouvé qu'elle était tout sauf banale. Elle avait laissé des traces dans leurs vies; c'est *moi* qui ne l'avais pas remarqué. Jamais je ne me suis senti aussi heureux de m'être trompé. Je me rendis compte que depuis toujours, on avait remarqué ma mère, et ma colère disparut.

Gerald E. Thurston Jr.

Une grande dame

Ma mère était à mes yeux la femme la plus magnifique que j'aie jamais connue... J'ai rencontré un tas de gens un peu partout à travers le monde, mais jamais je n'ai connu de femme plus raffinée qu'elle. Si j'ai réussi à accomplir quoi que ce soit dans ma vie, c'est à elle que je le dois.

Charles Chaplin

Je me rappelle lorsque j'étais aux études à l'école primaire et que tu faisais toutes ces choses pour moi, comme rester debout jusqu'au milieu de la nuit uniquement pour me confectionner un costume de Zorro pour l'Halloween. Tu étais une bonne mère, j'en étais conscient, mais j'ignorais à quel point tu étais une grande dame.

Je me rappelle que pour subvenir aux besoins de la famille, tu as occupé deux emplois à certains moments, tout en dirigeant le salon de beauté qui était à l'avant de la maison. Malgré les longues heures de travail, tu parvenais à garder en tout temps le sourire. Tu étais une travailleuse acharnée, j'en étais conscient, mais j'ignorais à quel point tu étais une grande dame.

Je me rappelle un soir où j'étais venu te voir tard dans la soirée (en fait, il était presque minuit et peut-être même plus tard) pour t'annoncer que le lendemain, j'étais censé jouer le rôle d'un roi dans une pièce de théâtre à l'école. Tu avais alors profité de l'occasion pour me confectionner un costume de roi pourpre garni d'hermine (fait de coton coloré de points noirs). Malgré tout le mal que tu t'étais donné, j'avais oublié de tourner sur moi-même pendant la pièce; par conséquent, personne n'avait vu toute la beauté de ton ouvrage. Tu avais cependant trouvé le moyen d'en rire et d'apprécier la pièce. Tu étais une mère hors pair, j'en étais conscient, mais j'ignorais à quel point tu étais une grande dame.

Je me rappelle m'être blessé à la tête pour la sixième fois d'affilée à l'école, mais tu t'étais contentée de dire: «Ça va aller. Faites-le se reposer un peu. Je viendrai le voir un peu plus tard.» Tu étais une femme solide, l'école et moi en étions conscients, mais j'ignorais à quel point tu étais une grande dame.

Je me rappelle le soutien que tu m'as apporté pendant mes études secondaires. Tu m'aidais à faire mes travaux scolaires, tu me fabriquais des costumes pour les événements spéciaux à l'école, tu assistais à tous mes matchs. Tu aurais fait l'impossible pour aider un de tes enfants, j'en étais conscient, mais j'ignorais à quel point tu étais une grande dame.

Je me rappelle avoir amené 43 enfants à 3 h 30 du matin, à l'époque où je travaillais pour cet organisme de jeunes, et t'avoir demandé de les garder pour la nuit et pour le petit déjeuner. Tu t'étais levée à 4 h 30 du matin pour mener à bien cet exploit héroïque. Tu étais généreuse et gaie, j'en étais conscient, mais j'ignorais à quel point tu étais une grande dame.

Je me rappelle encore que tu assistais à tous mes matchs de football et de basketball au collège et que tu prenais tellement la chose à cœur qu'avec tes pompons, tu frappais la personne assise devant toi dans les estrades. Je pouvais même t'entendre scander mon nom du centre du terrain. Tu étais une meneuse comme il ne s'en fait plus, j'en étais conscient, mais j'ignorais à quel point tu étais une grande dame.

Je me rappelle tous les sacrifices que tu as faits pour que je puisse aller à l'université : les heures supplémentaires, les paquets pleins de petites attentions que tu m'envoyais fidèlement, les lettres que tu m'écrivais et qui m'assuraient de ton appui. Tu étais une bonne amie pour moi, j'en étais conscient, mais j'ignorais à quel point tu étais une grande dame.

Je me rappelle avoir reçu mon diplôme de Stanford pour ensuite décider de travailler, par amour pour les enfants de ce même organisme de jeunes, au modeste salaire de 200 $ par mois. Toi et papa aviez pensé que j'avais perdu la tête, mais vous m'avez quand même encouragé. En fait, je me rappelle ce jour où tu étais venue m'aider à m'installer dans ma petite garçonnière. Tu avais réussi à faire de ce minuscule logement un endroit spécial qui portait ta touche d'amour. Tu avais une immense créativité, j'en étais conscient et je l'ai souvent constaté par la suite, mais j'ignorais à quel point tu étais une grande dame.

Le temps a passé, j'ai vieilli, je me suis marié et j'ai fondé une famille. Tu es alors devenue «Mamie» et ton nouveau rôle de grand-maman te tenait à cœur, mais tu n'as jamais donné l'impression de vieillir. Dieu avait prévu pour toi une place très spéciale dans la vie, j'en étais conscient, mais j'ignorais à quel point tu étais une grande, grande dame.

Un jour, un accident a quelque peu chambardé mon existence. Les choses sont alors devenues un peu plus difficiles pour moi, mais tu m'as épaulé comme toujours. Durant cette période, je me suis dit que certaines choses ne changeaient jamais, et j'en étais profondément reconnaissant. Tu pouvais être une excellente infirmière, j'en étais conscient depuis longtemps, mais j'ignorais à quel point tu étais une grande, grande dame.

J'ai écrit quelques livres et les gens ont semblé les aimer. Toi et papa étiez si fiers que vous donniez parfois des exemplaires de mes livres à des gens dans le seul but de montrer ce qu'un de vos enfants avait réalisé. Tu étais une merveilleuse agente de promotion, j'en étais conscient, mais j'ignorais à quel point tu étais une grande, grande dame.

Les temps ont changé, les saisons ont passé... et un des plus grands hommes que j'aie connu est disparu lui aussi. Je me souviens encore de toi, le jour des funérailles. La tête haute et le visage fier, vêtue d'une ravissante robe mauve, tu as rendu à papa tes derniers hommages: «Nous sommes si heureux et si reconnaissants d'avoir vécu la bonne vie que nous avons vécue.» En cet instant, j'ai vu une femme qui restait digne au beau milieu de la pire des épreuves. J'ai alors commencé à voir à quel point tu es une grande, grande dame.

Au cours de la dernière année, alors que tu étais seule comme jamais tu ne l'avais été, tout ce que j'ai vu et vécu pendant ces années m'est apparu sous un nouveau jour. Malgré les épreuves, ton rire est maintenant plus riche, ta force est maintenant plus grande, ton amour est maintenant plus profond... et je découvre, en vérité, à quel point tu es une grande, grande dame.

Tim Hansel

Postface

Prière pour ma mère

Mon Dieu,

Maintenant que je ne suis plus jeune, j'ai des amis dont la mère n'est plus. J'ai entendu des fils et des filles dire qu'ils n'ont jamais su apprécier pleinement leur mère avant qu'il ne soit trop tard.

J'ai le bonheur d'avoir encore ma mère. Je l'apprécie chaque jour un peu plus. Ma mère ne change pas. Moi si. À mesure que je vieillis et que je m'assagis, je me rends compte à quel point elle est une personne extraordinaire. Dommage que je sois incapable de prononcer ces mots en sa présence, mais ils coulent aisément au bout de ma plume.

Comment remercier ma mère pour la vie qu'elle m'a donnée? Comment la remercier pour l'amour, la patience et les efforts qu'elle a déployés dans le but de m'élever? Comment la remercier de s'être occupée de moi bébé, d'avoir compris mes sautes d'humeur d'adolescente, d'avoir supporté une étudiante de collège qui croyait tout savoir? Comment la remercier d'avoir si longtemps attendu le jour où sa fille lui dirait à quel point elle est une mère pleine de sagesse?

Comment une femme adulte fait-elle pour remercier sa mère de continuer à être sa mère? Comment la remercier de savoir conseiller (lorsqu'on le lui demande) et de savoir se taire au moment opportun? Comment la remercier de ne pas dire «Je t'avais prévenue» alors qu'elle serait en droit de le faire plus souvent qu'autrement?

Comment la remercier d'être essentiellement elle-même : aimante, réfléchie, patiente et indulgente ?

Je ne sais comment la remercier, mon Dieu, si ce n'est de vous demander de la combler comme elle le mérite et de m'aider à être à la hauteur de l'exemple qu'elle m'a donné. Je prie pour être aux yeux de mes enfants ce que ma mère est à mes yeux.

– D'une fille à sa mère

Ann Landers
Texte soumis par Lynn Kalinowski

À propos des auteurs

Jack Canfield

Jack Canfield est un des meilleurs spécialistes américains du développement personnel et professionnel. Conférencier dynamique et coloré, il est également un conseiller très en demande pour son extraordinaire capacité d'instruire ses auditoires et de les amener à vouloir améliorer leur estime de soi et leur rendement.

Auteur et narrateur de plusieurs audiocassettes et vidéocassettes, dont *Self-Esteem and Peak Performance, How to Build High Self-Esteem, Self-Esteem in the Classroom* et *Chicken Soup for the Soul – Live,* on le voit régulièrement dans des émissions télévisées telles que *Good Morning America, 20/20,* et *NBC Nightly News.* En outre, il est le coauteur de dix livres, dont la série *Bouillon de poulet pour l'âme, Dare to Win* et *The Aladdin Factor* (tous avec Mark Victor Hansen), *100 Ways to Build Self-Concept in the Classroom* (avec Harold C. Wells), et *Heart at Work* (avec Jacqueline Miller).

Jack prononce régulièrement des conférences devant des associations professionnelles, des commissions scolaires, des organismes gouvernementaux, des églises, des hôpitaux, des entreprises du secteur de la vente et des corporations. Sa liste de clients corporatifs comprend des noms comme American Dental Association, American Management Association, AT&T, Campbell Soup, Clairol, Domino's Pizza, GE, ITT, Hartford Insurance, Johnson & Johnson, The Million Dollar Roundtable, NCR, New England Telephone, Re/Max, Scott Paper, TRW et Virgin Records. Jack est également associé à deux écoles d'entrepreneurship: Income Builders International et Life Success Academy.

Tous les ans, Jack organise un programme de formation de huit jours qui s'adresse à ceux qui œuvrent dans le domaine de l'estime de soi et du rendement. Ce programme attire des éducateurs, des conseillers, des formateurs auprès des groupes de soutien aux parents, des formateurs en entreprise, des conférenciers professionnels, des ministres du culte et des gens qui désirent améliorer leurs talents d'orateur et d'animateur.

Mark Victor Hansen

Mark Victor Hansen est un conférencier professionnel qui, au cours des 20 dernières années, s'est adressé à plus de deux millions de personnes dans 32 pays. Il a fait plus de 4 000 présentations sur l'excellence et les stratégies dans le domaine de la vente, sur la prise en main et le développement personnel, et sur les moyens de tripler ses revenus tout en disposant de plus de temps libre.

Mark a consacré toute sa vie à une mission: déclencher des changements profonds et positifs dans la vie des gens. Tout au long de sa carrière, non seulement a-t-il su inciter des centaines de milliers de gens à se bâtir un avenir meilleur et à donner un sens à leur vie, mais il les a aidés à vendre des milliards de dollars de produits et services.

Mark a écrit de nombreux livres, dont *Future Diary, How to Achieve Total Prosperity* et *The Miracle of Tithing*. Il est coauteur de *Dare to Win*, de la série *Bouillon de poulet pour l'âme* et de *The Aladdin Factor* (tous en collaboration avec Jack Canfield), et de *The Master Motivator* (avec Joe Batten).

En plus d'écrire et de donner des conférences, Mark a réalisé une collection complète d'audiocassettes et de vidéocassettes sur la prise en main de soi qui ont permis aux gens de découvrir et d'utiliser toutes leurs ressources dans leur vie personnelle et professionnelle. Le message qu'il transmet a fait de lui une personnalité de la radio et de la télévision. On a notamment pu le voir sur les réseaux ABC, NBC, CBS, CNN, PBS et HBO. Mark a également fait la page couverture de nombreux magazines, dont *Success*, *Entrepreneur* et *Changes*.

C'est un grand homme au grand cœur et aux grandes idées, un modèle pour tous ceux et celles qui cherchent à s'améliorer.

Jennifer Read Hawthorne

Jennifer Read Hawthorne est coauteure du best-seller *Bouillon de poulet pour l'âme de la femme*. En plus de travailler sur plusieurs projets de la série *Bouillon de poulet pour l'âme*, elle prononce des conférences basées sur le message d'amour, d'espoir et de courage véhiculé par cette série.

Jennifer possède la réputation d'être une conférencière dynamique et perspicace, dotée d'un grand sens de l'humour et douée pour raconter des histoires. Dès sa plus tendre enfance, ses parents lui ont inculqué un profond respect et un amour de la langue. En fait, selon Jennifer, c'est son père aujourd'hui décédé, Brooks Read, qui lui a légué la passion de conter des histoires. Lui-même maître conteur, il avait créé un personnage, Brer Rabbit, qui donna une touche de magie à l'enfance de sa fille et lui fit comprendre le pouvoir des mots.

Cette prise de conscience de Jennifer de la puissance des histoires s'est par la suite accrue à l'occasion de ses voyages à travers le monde. C'est en rejoignant les rangs du Peace Corps pour enseigner l'anglais langue seconde dans les pays d'Afrique de l'Ouest qu'elle découvrit à quel

point les histoires sont des outils universels pour émou-
voir, stimuler, transmettre un savoir et nouer des liens.

Jennifer est la co-fondatrice du Esteem Group, une
entreprise qui œuvre dans le domaine de l'estime de soi
et qui offre aux femmes des programmes axés sur l'inspiration. Conférencière professionnelle depuis 1975, elle
s'est adressée à des milliers de femmes à travers le
monde lors de conférences portant sur la croissance personnelle, le développement de soi et la réussite sur le plan
professionnel. On retrouve parmi sa liste de clients des
noms comme AT&T, Delta Airlines, Hallmark Cards, The
American Legion, Norand, Cargill, l'État de l'Iowa, l'université Clemson.

Jennifer est originaire de Bâton Rouge, Louisiane, où
elle a obtenu un diplôme de journaliste de l'université
Louisiana State. Elle vit présentement à Fairfield, en
Iowa, avec son mari Dan, et les deux enfants de celui-ci,
Amy et William.

Marci Shimoff

Marci Shimoff est coauteure du best-seller *Bouillon
de poulet pour l'âme de la femme*. Conférencière professionnelle et formatrice, elle a inspiré des milliers de personnes à travers le monde avec son message sur la
croissance personnelle et professionnelle. Au cours des 17
dernières années, elle a donné des séminaires et des conférences sur l'estime de soi, la gestion du stress, la com-
munication et le rendement. Depuis quelques années,
elle prononce des conférences basées sur le message véhiculé dans *Bouillon de poulet pour l'âme*.

Marci est la co-fondatrice et la présidente du Esteem
Group, une entreprise qui œuvre dans le domaine de
l'estime de soi et qui offre aux femmes des programmes

axés sur l'inspiration. Des entreprises parmi les plus importantes aux États-Unis ont fait appel à ses talents de formatrice. Parmi ses clients, on retrouve AT&T, General Motors, Sears, Amoco, American Airlines et Bristol-Myers Squibb. Conférencière réputée pour son humour et son dynamisme, elle a livré son message devant des organisations professionnelles, des universités et des groupes de femmes.

Marci allie un style énergique et une solide formation. Détentrice d'un M.B.A. de l'université UCLA, elle a également étudié pendant une année aux États-Unis et en Europe dans le domaine de la gestion de stress. Depuis 1989, Marci a étudié le concept d'estime de soi en compagnie de Jack Canfield et a assisté à son séminaire de formation destiné aux professionnels.

En 1983, elle a été coauteure d'une étude très remarquée qui portait sur les 50 femmes d'affaires les plus influentes aux États-Unis. Depuis ce temps, elle est devenue une spécialiste des conférences destinées à des auditoires féminins afin de les aider à découvrir l'extraordinaire qui se trouve en chacune d'elles.

Même si Marci a travaillé sur plusieurs projets tout au long de sa carrière, aucun ne lui a procuré autant de satisfaction que la production des *Bouillon de poulet pour l'âme*. Marci travaille présentement sur d'autres projets de cette série et la perspective de toucher le cœur et de remonter le moral de millions de personnes grâce à ce livre l'enchante particulièrement.

Autorisations

Nous aimerions remercier les nombreuses personnes et maisons d'édition qui nous ont permis de reproduire les textes suivants. (Note: les histoires qui sont signées *anonyme*, qui appartiennent au domaine public ou qui ont été écrites par Jack Canfield, Mark Victor Hansen, Jennifer Read Hawthorne et Marci Shimoff n'apparaissent pas sur cette liste.)

Un 1er bol de
Bouillon de poulet pour l'âme

88 histoires
qui réchauffent le cœur
et remontent le moral

La lecture de **Un 1er bol de Bouillon de poulet pour l'âme** élèvera votre esprit et apaisera votre âme. À la fois émouvantes et stimulantes, pleines d'humour et de sagesse, ces «perles», tirées du vécu de nombreuses personnes, constituent un rappel aux valeurs essentielles : amour, amitié, gratitude, compassion.

Que l'on veuille encourager un ami, instruire un enfant, ou illustrer une idée, on trouvera toujours une histoire appropriée dans ce trésor de sagesse.

*«L'argent et la gloire ne rendent pas nécessairement les gens heureux. Il faut trouver le bonheur à l'intérieur de soi. **Bouillon de poulet pour l'âme** vous mettra un million de sourires dans le cœur.»*

– Robin Leach,
auteur et vedette
de la télévision américaine

Format 15 x 23 cm
288 pages
isbn 2-89092-212-X

#1 des best-sellers
du New York Times

Un 2*e* bol de
Bouillon de poulet pour l'âme

80 histoires
qui réchauffent le cœur
et remontent le moral

Les best-sellers américains de la série **Bouillon de poulet pour l'âme**
(Chicken Soup for the Soul) ont capté l'imagination de plusieurs millions de
lecteurs par leurs réjouissants messages d'espoir et d'inspiration. Sciences
et Culture est heureuse de vous présenter en français **Un 2e bol de Bouillon
de poulet pour l'âme.**

Grâce aux expériences vécues par d'autres personnes, des lecteurs d'horizons très variés peuvent apprendre le don de l'amour, le pouvoir de la persévérance, la joie de l'art d'être parent et l'énergie vitale du rêve. Partagez la
magie qui changera à jamais votre façon de vous percevoir et de percevoir
le monde qui vous entoure.

*«AVERTISSEMENT. La lecture de ce 2e bol de Bouillon de poulet pour
l'âme peut entraîner des rires, des larmes, des serrements de gorge et une
augmentation permanente de l'amour, du courage et de la responsabilité
personnelle. »*

— JIM NEWMAN, auteur

FORMAT 15 X 23 CM
304 PAGES
ISBN 2-89092-208-1

Auteurs #1 des best-sellers
du New York Times

Un 3e bol de
Bouillon de poulet pour l'âme

Un autre recueil d'histoires
qui réchauffent le cœur
et remontent le moral

*P*our satisfaire leur vaste public affamé d'autres bonnes nouvelles du même genre, Jack Canfield et Mark Victor Hansen se sont remis au travail et ont concocté un autre *bouillon* d'histoires, véritables témoignages de vie, pour réchauffer votre cœur, apaiser votre âme et nourrir vos émotions.

Thèmes traités : l'amour – l'art d'être parent – l'enseignement et l'apprentissage – la mort et les mourants – une question de perspective – une question d'attitude – savoir vaincre les obstacles – sagesse éclectique.

«Avec ce troisième ouvrage de la série des Bouillon de poulet pour l'âme, Mark Victor Hansen et Jack Canfield ont encore une fois trouvé le filon. Cet ouvrage a une valeur intrinsèque réelle, je lui accorde une note parfaite de 10 !»

– Peter Vidmar
médaillé d'or olympique
en gymnastique

Format 15 x 23 cm
304 pages
isbn 2-89092-217-0

Auteurs #1 des best-sellers
du New York Times

Bouillon de poulet
pour l'âme de la femme

Des histoires qui réchauffent le cœur
et remontent le moral

Les femmes — filles, mères, épouses, travailleuses, amies, étudiantes — sont à la fois uniques et parentes entre elles. Ce lien de parenté provient des expériences semblables qu'elles vivent: l'amour et l'apprentissage; la faculté de ressentir la tendresse du cœur; l'aptitude à nouer des amitiés qui ne meurent jamais; la capacité de donner la vie; le courage d'allier travail et famille.

Dans ce **Bouillon de poulet,** vous trouverez des exemples éloquents de tous des moments qui façonnent la vie d'une femme. Ce recueil d'histoires rend hommage à la force de l'esprit féminin et en dévoile toute la beauté. Tout au long de votre lecture, vous puiserez inspiration, joie et réconfort sur des sujets comme l'amour, les rêves, l'adversité, le mariage, la maternité, le vieillissement, les générations, l'attitude, l'estime de soi et la sagesse. Que vous soyez une femme d'affaires, une mère au foyer, une adolescente, une femme âgée, une toute jeune femme qui s'initie à la vie ou une femme du monde, ce livre merveilleux deviendra pour vous un compagnon fidèle que vous chérirez pendant des années.

La vie d'une femme est une mine d'émotions dont ce livre nous dévoile toute la richesse. Enfin, un Bouillon de poulet uniquement pour nous! Il vous réchauffera à la fois le cœur et l'âme.

— LEEZA GIBBONS

FORMAT 15 X 23 CM
288 PAGES
ISBN 2-89092-218-9

#1 des best-sellers
du New York Times